£1.99

Hadau Ceredigic

I Mam, i Mamgu,
i Dat ac i Jaci;
i Gwenllian
ac i deulu Ceredigion, yn alltud ac yn Gardi

Hadau Ceredigion

Owain Llŷr

yLolfa

Argraffiad cyntaf: 2015

Dymuna'r cyhoeddwyr gydnabod cymorth ariannol
Cyngor Llyfrau Cymru

Llun y clawr: Aberystwyth, 2013, Owain Llŷr
Dylunio: Richard Ceri Jones

Rhif Llyfr Rhyngwladol: 978-1-78461-137-8 (clawr meddal)
978-1-78461-234-4 (clawr caled)

Cyhoeddwyd ac argraffwyd yng Nghymru
ar bapur o goedwigoedd cynaladwy gan
Y Lolfa Cyf., Talybont, Ceredigion SY24 5HE
gwefan www.ylolfa.com
e-bost ylolfa@ylolfa.com
ffôn 01970 832 304
ffacs 832 782

Cynnwys

Rhagair

Ces i fy ngeni ym Mhontypridd, cyn symud gyda fy rhieni a fy mrawd Rhodri i Drefach Felindre yn 1978, yn dair blwydd oed. Ym mhen gogleddol Sir Gâr y ces i fy magu, felly, a threuliais fy mhlentyndod yn chwarae ar Barc Puw, sef cartref Bargod Rangers, neu'n crwydro ar fy meic, yn aml i Henllan, sydd ar y ffin rhwng Sir Gâr a Cheredigion.

Roedd Dad ar y môr am gyfnodau hir, fel swyddog yn y llynges fasnachol, a byddwn i'n treulio cryn dipyn o amser ar 'y ffarm' yng Nghapel Dewi, cartref teuluol Mam, lle roedd Dadcu, neu 'Dat', Mamgu ac Wncwl Jaci yn byw ac yn amaethu.

Yn Llandysul roedd Ysgol Dyffryn Teifi, yr ysgol uwchradd lle bûm yn astudio, ac roedd mwyafrif fy ffrindiau'n byw yng Ngheredigion. Felly, er fy mod i'n byw yng ngogledd Sir Gâr tan i fi adael yr ysgol, bu Ceredigion yn rhan annatod o fy magwraeth. Y tro cyntaf i fi fyw yn y sir oedd haf 1992, ar ôl cwpla Lefel A, pan fuais i'n rhannu carafán yn Llanarth gyda chriw o ffrindiau tra oedden ni'n gweithio mewn siop tsips yng Ngheinewydd. Ers hynny bûm yn byw yn Aberystwyth, Capel Bangor, Talybont a Chwmcou, ac ers 2013 rwy wedi bod yn byw yn Llandysul.

Treuliais y rhan fwyaf o'r cyfnod rhwng 1995 a 2012 yn byw bant o Orllewin Cymru, yn astudio a gweithio yng Nghaeredin tan 2000, ac yna dros ddegawd yn byw yng Nghaerdydd. Rhwng 2000 a 2010 bûm yn teithio ar hyd a lled Cymru ac yn mynd dramor weithiau yn sgil fy ngwaith fel cyfarwyddwr. Er hynny, Ceredigion a gorllewin Cymru oedd gartref.

Ers i fi adael yr ysgol rwyf wedi ysgrifennu erthyglau ar gerddoriaeth ac agweddau gwahanol ar ddiwylliant, ac yn ysgrifennu'n greadigol ar adegau, ac roedd rhyw elfen o hanes neu ddiwylliant ynghlwm wrth y rhan fwyaf o'r gwaith hwn hefyd. Yn 2007, yn dilyn marwolaeth Dad yn 2006, penderfynais geisio datblygu cwmni cynhyrchu yng Ngheredigion, yn bennaf er mwyn creu'r ffilm ddogfen *La Casa di Dio*, sy'n olrhain hanes creu Eglwys y Galon Sanctaidd yn Henllan yn ystod yr Ail Ryfel Byd, eglwys fach a sefydlwyd yn y gwersyll carcharorion rhyfel yn y pentref.

Roedd yn brofiad anhygoel cael cyfarfod cymeriadau unigryw fel Bob Thomson, perchennog y safle yn Henllan, a Mario Ferlito, yr artist a greodd y darlun o'r Swper Olaf sy'n addurno'r crynd0 a adeiladwyd gan y carcharorion. Antur o fri oedd gyrru o Rufain i Ornavasso, ar y ffin rhwng yr Eidal a'r Swistir, er mwyn cyfweld y gŵr diymhongar hwn. Braint o'r eithaf oedd dod i adnabod Glenys Anthony o Drebedw, a fu'n gweithio yn y gwersyll, yr hanesydd lleol Jon Meirion Jones, a dau o ddisgynyddion y carcharorion a ymgartrefodd yn yr ardal wedi'r rhyfel, sef Gino Vasami o Fwlch-y-groes a Toni Sarracini o Gastell Newydd Emlyn.

Erbyn 2010 roeddwn i'n teimlo ysfa gynyddol i symud yn ôl i'r gorllewin yn barhaol. Yn y cyfamser, roeddwn yn parhau i weithio ar ffilmiau dogfen, gan gynnwys *Plant Brynllwyd*, ymchwiliad i ddirgelwch marwolaeth pump o blant o fewn ychydig ddyddiau ym Mawrth 1875.

Yn 2011 cefais gyfle i weithio ar y llyfr *Bois y Loris*, sy'n portreadu mewn llun a gair ugain o'r gyrwyr lori a oedd yn rhan o'r clwb a ffurfiwyd gan Geraint Lloyd o Ledrod ar ei raglen adnabyddus ar Radio Cymru. Daeth cynnig i greu rhaglen ddogfen fer am dri o'r gyrwyr hynny, ac fe'i darlledwyd ar S4C ym Mehefin 2011. Fe ddenodd fwy o wylwyr ar y noson na *Pobol y Cwm*, a oedd yn destun balchder i fi. Ond er ei phoblogrwydd, yn anffodus ni ddaeth cyfle i ddatblygu'r rhaglen yn gyfres ehangach.

Erbyn 2012 roeddwn i'n gweithio ar ffilm ddogfen am y grŵp arloesol Datblygu, a ffurfiwyd gan David R Edwards a T Wyn Davies yn Aberteifi yn 1982. Roedd hi'n dri deg mlynedd ers i Datblygu ddod ynghyd, ac roeddwn i'n teimlo ei fod yn gyfle arbennig i olrhain hanes cythryblus y grŵp a'r sylfaenydd a'r cyfansoddwr David R Edwards. Cafodd y ffilm *Prosiect Datblygu*, sy'n olrhain hanes y grŵp o 1982 i 1995, ei dangos am y tro cyntaf yn Theatr Mwldan, Aberteifi yn 2012. Darlledwyd y ffilm ar S4C yn Awst 2014. Bu ail ffilm hefyd, sef *Prosiect Datblygu A2*, yn trafod hanes a dylanwad y grŵp ar ôl 1995, a chafodd hon ei dangos yn Theatr Mwldan yn 2013.

Trwy gydol fy ngyrfa greadigol, bu Ceredigion a'i thrigolion yn ysbrydoliaeth i mi. Cyfarfûm â Lefi Gruffudd o'r Lolfa yn 2010 i drafod ei syniad o greu llyfr yn portreadu Cymru wledig, gan gyfuno lluniau a thestun i lunio dogfen o ddiwylliant gwledig sy'n wynebu heriau di-ri yn y Gymru gyfoes. Roedd hwn yn syniad oedd o ddiddordeb i fi, er fy mod yn teimlo efallai fod Cymru gyfan yn ormod o bwnc i mi allu ei gofnodi mewn llyfr o'r fath. Roeddwn i eisoes wedi cychwyn tynnu lluniau o gymeriadau, tirlun a chymdeithas Ceredigion. Felly, bwrais ati i ganolbwyntio ar y rhan honno o

Gymru, gan grwydro'r sir a chyfarfod yr unigolion sy'n byw ac yn gweithio yma, a hynny mewn rhyw ymgais i bortreadu'r sir fel y mae hi heddiw.

Symudais yn ôl i Geredigion gyda fy nghariad yn 2012, pan gafodd hi waith yng Nghastell Aberteifi, a bûm yn gweithio ar brosiect i gefnogi'r diwydiannau creadigol yng Ngheredigion rhwng 2012 a 2014. Daliais ati gyda'r llyfr trwy gydol y cyfnod hwn, yn darllen casgliad eang o lyfrau ar hanes Cymru, ac yn ymddiddori'n enwedig mewn llyfrau penodol am hanes y sir, fel llyfrau Saesneg Gerald Morgan a Mike Benbough-Jackson. Roeddwn i'n siomedig braidd nad oedd yna lyfr Cymraeg y gallwn droi ato er mwyn darllen hanes y sir, ac yn raddol datblygodd y syniad o greu llyfr o'r math hwnnw fy hun, a chyfuno rhyw fath o drosolwg o hanes Ceredigion â phortread gweledol o'r sir heddiw. Felly, ailddarllenais nifer o'r llyfrau hanes hyn gan gofnodi'r darnau oedd yn berthnasol i'r sir a defnyddio pentwr o nodiadau Post-it melyn.

Clytwaith o fath yw testun y llyfr *Hadau Ceredigion*, wedi ei ffurfio o ffynonellau amrywiol gyda'r bwriad o geisio creu cipolwg o hanes lliwgar y tir a thrigolion y sir. Fy mwriad gyda'r lluniau oedd iddyn nhw gydweithio â'r testun, fel rhan o ddarlun cyfan, ond na fydden nhw'n ymateb yn rhy lythrennol i'r portread geiriol. Datblygodd y lluniau a'r testun ar wahân, fel dau lwybr yn arwain i'r un man. Mae'r naill lwybr yn gyd-destun i'r llall, yn cynnig cysylltiadau rhwng yr hyn a fu a'r hyn sydd yma heddiw, ond hefyd yn adlewyrchu'r cyferbyniad rhwng y gorffennol a'r presennol.

Rwy'n gobeithio'n fawr y bydd y gyfrol hon o ddiddordeb i drigolion Cymraeg y sir, yn ogystal â'r Cardis yna sydd wedi symud o'r ardal i chwilio am gyfleoedd newydd, a'u disgynyddion hwythau yn eu tro. Bûm yn pendroni ynglŷn â defnyddio troednodiadau i gofnodi pob ffynhonnell unigol, ond penderfynais gynnwys llyfryddiaeth ar y diwedd yn nodi'r testunau sy'n sail i'r llyfr hwn. Y gobaith oedd creu testun cryno sy'n hawdd ei ddarllen, ond testun y gall y sawl sydd â diddordeb mewn pori ymhellach ei ddefnyddio fel man cychwyn.

Rwy'n ddiolchgar tu hwnt i Lefi Gruffudd a'r Lolfa am y gefnogaeth a gefais wrth weithio ar y llyfr, ac i'r criw gweithgar a fu wrthi'n dylunio ac yn argraffu'r llyfr. Diolch i Meleri Wyn James am ei gwaith trylwyr wrth olygu'r llyfr, ac am wella safon y testun gyda'i sylwadau craff a'i llygad barcud.

O ran enwau lleoedd, nid wyf wedi glynu at yr enwau yn eu ffurfiau gramadegol priodol cywir, a hynny am reswm. Yn gywir, mae Talybont yn Tal-y-bont ac mae Llanarth yn Llannarth, os edrychwch chi ar y llyfr bendigedig a olygwyd gan Elwyn Davies, sydd yn y llyfryddiaeth. Mae hwn yn esbonio'r rhesymu gramadegol sydd tu ôl i'r ffurfiau 'cywir' yma, ond yn aml iawn nid yw'r cywirdeb ieithyddol wedi treiddio i'r defnydd lleol. Rwy wedi cymryd y penderfyniad felly i dueddu i lynu at yr enwau fel maent yn cael eu defnyddio yn y llyfrau ffynhonnell yn ogystal â'r defnydd lleol arferol, sef yr hyn welwch chi wrth edrych ar bapurau newyddion lleol, ar arwyddion ffyrdd ac arwyddion pentref. Rwy'n gobeithio byddwch chi'r darllenydd yn maddau i mi am hyn ac am unrhyw gamgymeriadau eraill rwy wedi eu gwneud, boed rheiny'n bwrpasol neu ar ddamwain.

Rwy'n diolch hefyd i fy nghariad, neu fy 'wejen', Gwenllian, sydd wedi bod yn gefnogol tu hwnt ers i fi ei chyfarfod yn Neuadd Tysul, Llandysul. Fel fy mrawd, bu hi'n astudio Hanes yn y brifysgol. Hanes clasurol sy'n ei diddori hi fwyaf, ond rwy'n gobeithio y bydd y llyfr o ddiddordeb iddi, fel merch o Sir Gâr sydd wedi croesi'r afon i fyw ar dir y Cardi.

Yn olaf, hoffwn ddiolch i Mam. Bu fy mrawd Rhodri a finnau mor ffodus i gael ein magu gan fenyw anhygoel. Athrawes ysgol gynradd oedd Mam, a bu'n athrawes, yn ysbrydoliaeth ac yn ffrind i mi ar hyd fy mywyd. Bu'n gymorth mawr gyda'r llyfr hwn, yn darllen y testun a chynnig newidiadau, yn ogystal â bod yn rhywun i feddwl amdani tra oeddwn i'n llunio'r cynnwys. Cardi yw fy mam, ac iddi hi mae'r llyfr hwn.

Owain Llŷr
Medi 2015

Enwau Lleoedd

Pant-gwyn, Pantygenau, Tŷ'r Pobydd, Trepibau,
Y Ddôl a'r Gellïau, a'r Pannau, Parc-pwll,
Cwm-du a Chwmduad, Ty-llwyd, Lôn-ar-Lluest,
Cilast, Mock, a'r Brebast a'r Bribwll.

Glan-graig a Trecregin, Bronorwen, Bryneirin,
Cwmceiliog, Blaencelyn, Llaindelyn, Glandŵr,
Y Foelallt a'r Felin, Bryn Noeth a Bryneithin,
Clawddmelyn, Trefigin a'r Fagwr.

Llyn-ddu a Llanddewi, Llangynllo a'r Gwenlli,
Y Top a Nantpopty a'r Penty a'r Porth,
Y Gwbert, Cwmgwybed, Cwmberw, Trebared,
Penbwlied a Llanbed a Llanborth.

Pen-llwyn a Penlleine, Cefnceiliog a'r Cilie,
Rhiw-fawr a Treferre, Y Lleine, Nant-llan;
Brynheulwen, Brynhelyg, yr Erwan a'r Ferwig,
Glanceri a'r Gorrig, Nantgaran.

Cwmhawen, Cwmhyar, Bryn Seion a Soar,
Y Ffynnon a Phennar, Tyhagar a'r Wig,
Dol-goy a Dolgïan, Cwm-bach a Cwmbychan
Y Prian, Nantgwylan a'r Helyg.

Isfoel

Enwau Lleoedd

Ac yntau'n un o Fois y Cilie, roedd perthynas Isfoel â'i gynefin yn gryf. Dyma berthynas glòs â'r tirwedd, yr arfordir a ffordd o fyw sy'n diflannu o gefn gwlad. Yn yr un modd ag a welir yng ngwaith Dic Jones, mae'r cydblethu rhwng eu bywyd yng nghefn gwlad a'r farddoniaeth yn adlewyrchiad o gymdeithas â'i thraed ar y ddaear.

Erbyn hyn mae teulu'r Cilie wedi gadael y ffarm ger y Gaerwen, ond mae enwau'r lleoedd y cyfeirir atynt yng ngherdd Isfoel yn bodoli o hyd. Ffurfiwyd y rhan hon o dir Ceredigion ryw 430 miliwn o flynyddoedd yn ôl, ar waelod môr hynafol Iapetus. Cafodd y tir ei erydu a'i ffurfio dros filoedd o flynyddoedd gan symudiadau tectonig, gan rewlifoedd, gan y tywydd a chan newidiadau yn lefel y môr a ddigwyddodd wrth i'r iâ gilio tua 12,000 o flynyddoedd cyn ein hamser ni.

Oherwydd bod y rhewlifoedd hyn wedi gorchuddio'r tir, ni cheir olion bywyd cyntefig o gyfnod cyn y rhewlif. Daw'r olion cynharaf o ddynoliaeth sy'n perthyn i'r tir rhwng afonydd Teifi a Dyfi o Oes Newydd y Cerrig, ond dim ond un esiampl a welir hyd heddiw, a hynny yn Nhan-y-bwlch ger Dôl-y-bont yng ngogledd y sir. Bu yma ffatri offer callestr yn creu arfau cerrig bychain er mwyn helpu'r trigolion i hela'r bywyd gwyllt a oedd mor allweddol i'w cynhaliaeth. Pobol grwydrol oedd y rhain, yn symud o gwmpas dros ardaloedd eang, a chyn dyfodiad amaeth i'r sir byddent yn pysgota am fwyd o'r môr neu'n hela anifeiliaid gwyllt.

Yna, tua 2,000 o flynyddoedd Cyn Crist, datblygodd cymdeithas a oedd yn byw mewn cutiau ar y bryniau uwchben y dyffrynnoedd coedwigog. Creu offer o gerrig oedd y bobol hyn hefyd, ond roedden nhw'n tyfu cnydau ac yn bugeilio anifeiliaid, gan gychwyn y traddodiad amaethyddol a fu'n ganolog i hanes y tir rhwng afonydd Dyfi a Theifi hyd heddiw.

Yn 2003, wrth adeiladu ffordd osgoi Llandysul, darganfuwyd olion cymdeithas yr Oes Efydd ar gopa Cwm Meudwy. Dros filoedd o flynyddoedd daeth Iberiaid o Sbaen, Celtiaid o Ewrop, llengoedd Rhufeinig, Sacsoniaid, Northmyn, Normaniaid a Fflemiaid, yn ogystal â Gwyddelod, i dir Ceredigion.

Gerllaw Llandysul mae Craig Gwrtheyrn a Chastell Gwynionydd, Pencoedfoel a Phlas Llanfair. Wrth ddilyn afon Teifi o ardal Llandysul tua'i tharddiad, daw'r pererin ar draws hen felin Abercerdin, ar lannau Nant Cerdin. Dyma'r ffin rhwng dau hanner cwmwd Gwynionydd, sef Is Cerdin ac Uwch Cerdin. Dyma hefyd y safle lle cafodd Elen, mam Owain Glyndŵr, ei magu.

Roedd Owain Glyndŵr yn arglwydd ar hanner cwmwd Gwynionydd Is Cerdin ar ochr ei fam, ac roedd hyn yn elfen allweddol yn ei apêl i'w gefnogwyr yn ne Cymru. Daeth ei fuddugoliaeth gyntaf o bwys ym mrwydr Hyddgen ar fryniau Pumlumon Fawr yng ngogledd y sir. Roedd hefyd yn arglwydd ar Isgoed Uwch Hirwern ac yn cael cefnogaeth gan drigolion cwmwd Mabwynion. Mae'r bardd Iolo Goch yn y 14eg ganrif yn ei alw yn 'Llew Isgoed' a 'Calon Is Aeron'.

Gerllaw Abercerdin mae safle hen ffermydd maenorol y cwmwd, y Faerdre Fawr a'r Faerdre Fach. Roedd capel ar safle Plas Llanfair mor bell yn ôl ag Oes y Seintiau. Roedd y cymydau'n rhan elfennol o'r gymdeithas Gymreig dan drefn Cyfreithiau Hywel Dda, a oedd yn bodoli cyn i'r Normaniaid gychwyn cyflwyno'r system sirol, gan arwain at greu'r hen Sir Aberteifi.

Wrth ddilyn yr afon i ddiwedd ei thaith islaw Aberteifi, mae'n llifo trwy Gwm Alltcafan, heibio Eglwys Dewi Sant yn Henllan, a heibio un o gestyll mwyaf hudolus y Cymry. Yng Nghastell Newydd Emlyn parhaodd Rhys ap Maredudd y frwydr yn erbyn Edward I yn 1287. Roedd yn ddisgynnydd i Maredudd ap Rhys Gryg, hwnnw a adeiladodd y castell carreg yn 1240, un o'r cestyll cerrig prin hynny a sefydlwyd gan Gymro, sydd erbyn hyn yn adfail. Ar lannau'r afon yn agos i'r môr saif Castell Aberteifi, lle cynhaliodd yr Arglwydd Rhys yr 'eisteddfod gyntaf' ar ddydd Nadolig 1176.

Mae Castell Newydd Emlyn, wrth gwrs, yn rhan o Sir Gâr sydd, fel Sir Benfro, yn ffinio â Cheredigion ar lannau deheuol afon Teifi. Ar ochr ogleddol y bont dros afon Teifi roedd bwrdeistref ganoloesol Adpar, neu Atpar, a fyddai'n cael ei hadnabod hefyd fel Trefhedyn. Roedd hon yn ganolfan Gymreig gynnar, yn lleoliad ar gyfer marchnad bwysig a ffair geffylau. Mae'r gymdeithas o gwmpas yr afon yn aml yn pontio'r ffiniau, yn yr un ffordd ag y mae Llanybydder, Llandysul, Cenarth ac Aberteifi, ond saif afon Teifi fel ffin hanesyddol ar waelod y sir.

Bu afonydd Teifi a Dyfi, Elenydd a Bae Ceredigion yn ffiniau naturiol i Geredigion ers cyn cychwyn ein hanes. Tir uchel yw cyfran helaeth o'r tir yng Ngheredigion; yn asidig ac yn anaddas ar gyfer tyfu cnydau maethlon. Does yma ddim harbwr naturiol, er mai'r môr yw ffin orllewinol y sir. Ar hyd yr arfordir mae creigiau peryglus. Serch hynny, roedd y ffin orllewinol hon yn draffordd bwysig ymhell cyn dyfodiad ffyrdd a threnau.

Bu'r afonydd a'u dyffrynnoedd yn holl bwysig i ddatblygiad y sir. Datblygodd canolfannau o gwmpas afonydd Dyfi, Rheidol, Ystwyth ac Aeron, Teifi, Arth, Cerdin a Chlettwr, Leri, Hawen a Howni.

Cyn yr Oes Efydd, yn yr Oes Neolithig, roedd y mwyafrif o'r boblogaeth yn byw ger y môr. Yn ystod yr Oes Efydd gynnar a'r Oes Efydd ganol, tua 2400 i 1200 CC, roedd y tymheredd tua dwy radd selsiws yn uwch nag ydyw heddiw, a cheir olion niferus o drigolion y cyfnod hwn yn nwyrain y sir yn enwedig. Dair mil o flynyddoedd yn ôl roedd ucheldir garw Elenydd Ceredigion yn gartref i gymdeithasau llewyrchus a oedd yn tyfu cnydau, a hynny cyn i'r tymheredd oeri.

Mae bryngaerau'r Oes Haearn yn nodwedd amlwg o dirwedd Ceredigion, yn britho'r tirlun ym mhob rhan o'r sir, gan gynnwys y tiroedd uchel sydd bellach yn anial. Tua 700 CC daeth yr Oes Haearn i Geredigion, pan sefydlwyd canolfannau pwysig fel Pen Dinas ger Aberystwyth. Ceir ynys hudolus i'r gogledd o Gwmtydu wrth ymyl lleoliad bryngaer Castell Bach. Hawdd yw eistedd yma a meddwl am y fryngaer a'r gymdeithas gyntefig a fu'n ymgartrefu yno, neu ddychmygu Sion Cwilt a'i smyglwyr ganrifoedd maith wedi hynny yn crwydro gyda'u merlod ar hyd yr arfordir tawel yn y gwyll.

Bron i ddwy fil o flynyddoedd yn ôl y daeth y Rhufeiniaid i Gymry ac enwi llwythau'r Silwriaid yn y de, y Demetiaid yn y de-orllewin a'r Ordoficiaid yn y canolbarth, ond does dim cyfeiriad ysgrifenedig Rhufeinig penodol at drigolion y tir rhwng afonydd Teifi a Dyfi. Serch hynny, darganfuwyd olion Rhufeinig yn Llanio a Thrawsgoed. Bu caer Rufeinig uwchben afon Teifi yn Henllan, wrth ymyl y safle lle bu gwersyll rhyfel POW Camp 70 yr Ail Ryfel Byd. Datblygodd system ffyrdd y Rhufeiniaid er mwyn galluogi'r llengoedd i symud yn effeithlon, gydag afonydd yn ganolog wrth benderfynu ble i leoli'r caerau am eu bod yn sicrhau gallu croesi'n ddiogel. Sefydlwyd caer Llanio ar lannau afon Teifi, Trawsgoed ar afon Ystwyth a Phen-llwyn ar afon Rheidol.

Lleng o ogledd-orllewin Sbaen oedd yn Llanio, neu *Bremia* fel y gelwid hi. Llecyn anghysbell yw Llanio heddiw, ond roedd yn rhan allweddol o'r system drafnidiaeth Rufeinig, yn cysylltu mwyngloddiau aur Pumsaint a chaer *Moridinum* â'r llengoedd i'r gogledd a'u canolfan yn Segontiwm.

Cyn Cwmcou roedd yna bentref o'r enw Trewen. Cyn Capel Dewi roedd pentref Cilrhiwiau. Er mai'r Normaniaid a sefydlodd fwrdeistrefi Aberteifi, Llanbed ac Aberystwyth, roedd trefi Cymreig cynnar fel Adpar, Llandysul, Tregaron a Threfilan yn ganolfannau pwysig i'r Cymry.

Yn ôl yr hanes, daeth Cunedda i Gymru yn y 5ed ganrif i erlid y Gwyddelod o'r tiroedd Prydeinig, a rhoddodd ei fab, Ceredig, ei enw i Geredigion. Yn ôl ysgrifau'r mynach Rhygyfarch o Lanbadarn Fawr, roedd Dewi Sant yn ŵyr i Ceredig, a gwelir olion Oes y Seintiau mewn enwau lleoedd ar hyd y sir. Yn Eglwys Llanddewibrefi mae cerrig a osodwyd yn y 7fed ganrif, a bu dylanwad mudiadau crefyddol ar ddatblygiad y sir yn allweddol. Dewi yw'r sant mwyaf blaengar yn neheudir y sir, ac yn y gogledd ceir llawer mwy o gyfeiriadau at Padarn. Mae'r bardd Gwynfardd Brycheiniog yn dathlu bywyd Dewi yn y 12fed ganrif, gan gyfeirio at bum eglwys a gysylltir ag ef, sef Brefi, Bangor, Henllan, Henfynyw a Llanarth, bob un yn ne'r sir.

Roedd amrywiaeth o seintiau cynnar eraill, fel Cynfelin (Sarn Cynfelin), Tysul (Llandysul), Tyfrïog (Llandyfriog), Carannog (Llangrannog), Mihangel (Llanfihangel y Creuddyn), Mair (Llanfair Clydogau) a Ffraid (Llansanffraid). Mae'r enwau'n arwydd o gysylltiadau cynnar â lleoedd dros y môr, gyda nifer o enwau eglwysi cyfatebol yng Nghernyw, Iwerddon a Llydaw. Ceir hefyd seintiau lleol fel Cynllo, a gysylltir â Llangoedmor, Llechryd, Mount (sef Mwnt) ac Aberteifi. Gwenog Wyryf yw'r santes a gysylltir ag eglwys Llanwenog.

Yn dilyn Ceredig, cyfeirir at Seisyll yn y Mabinogi fel arweinydd a goncrodd Ystrad Tywi yn yr 8fed ganrif er mwyn sefydlu gwladwriaeth Seisyllwg. Ei fab oedd Arthen, a fu farw yn 807. Yn 871 boddodd Gwgon ap Meurig ap Dyfnwallon ab Arthen. Daeth tir Ceredigion yn rhan o frenhiniaeth Rhodri Mawr o Wynedd am fod ei wraig, Angharad, yn chwaer i Gwgon. Dyna oedd diwedd brenhiniaeth annibynnol gynnar Ceredigion, ond parhaodd yn 'wlad' nes goresgyniad terfynol y Normaniaid yn y 13eg ganrif.

Mae Cyfreithiau Hywel Dda yn disgrifio system weinyddol y gymdeithas Gymreig hon, a byddai 'gwlad' fel Ceredigion yn cael ei rhannu'n gymydau. Yn ôl y system 'westfa', byddai perchnogion tir yn talu'r arglwydd lleol mewn bwyd neu arian er mwyn cael cadw'r hawl dros eu heiddo. Rhennid y cymydau'n faerdrefi i'r rhai nad oeddynt yn berchen tir, fel y taeogion a'r caethweision, a byddai 'maer y biswail' yn goruchwylio gwaith yr unigolion caeth ac yn dosbarthu dom gwerthfawr i ffrwythloni'r tir diffaith.

Yn y 10fed ganrif daeth llongau'r Daniaid a'r Norwyaid gan ymosod ar Lanbadarn Fawr yn 988, a rheibiwyd nifer o eglwysi cynnar eraill ar hyd arfordir y gorllewin. Ysbail oedd uchelgais y Northmyn, boed hynny'n aur, yn fwyd neu'n gaethweision. Bu brwydr fawr ger Llanwenog yn 982 a'r Daniaid dan arweiniad Godfrey Haroldson o dras Daniaid Limerick. Ceir hefyd gyfeiriad at yr hanes cynnar rhyfelgar yn yr enw Rhos Ymryson, sef rhostir anghysbell uwchlaw pentref Talgarreg lle bu brwydr waedlyd.

Mae'r barcud coch yn symbol amlwg o fywyd gwyllt y sir, yn ffynnu unwaith eto ar ôl cyfnod digon bregus pan ddirywiodd ei niferoedd bron at ddifodiant ym Mhrydain. Gwelir y sgwarnog o hyd ar adegau hudol prin, ac mae'n debyg fod gwiwerod coch yn yr ardal o gwmpas Llanddewibrefi. Rhyfedd yw meddwl mai yn Ionawr 1950 y cafodd y wiwer lwyd gyntaf ei saethu yn y sir, a hynny gan Edward Howard Lloyd o Blas Coedmor ger Aberteifi, yn ôl yr hanesydd lleol Glen Johnson o Landudoch. Unwaith eto mae ceirw coch i'w gweld ar y bryniau yn neheudir y sir.

Roedd tirwedd, natur wyllt a chymdeithas Ceredigion yn newid yn gyson. A'r tu mewn i'w ffiniau mae pobol, adeiladau, anifeiliaid a phlanhigion yn blaguro, yn ffynnu ac yn diflannu yn ôl i'r pridd garw. Pan fo'r llanw'n isel, gwelir olion coed ar hyd yr arfordir yn Borth a Llanrhystud, yn atgof o chwedl Cantre'r Gwaelod ac yn arwydd fod arfordir y sir wedi newid ers i'r rhewlifoedd gilio filoedd o flynyddoedd yn ôl.

Bwriad y llyfr hwn yw creu braslun o hanes Ceredigion, ac rwyf yn ddyledus i'r awduron hynny a fu'n olrhain yr hanes ac yn tanio fy niddordeb yn y pwnc. Cipolwg yw'r lluniau o'r sir fel y mae hi heddiw. 'Haden' i ni bobol Ceredigion yw tipyn o gymeriad. Ond yr hadau hefyd yw'r digwyddiadau a'r hanes sy'n rhan o'n diwylliant ni.

Ni fu Ceredigion erioed yn ardal gyfoethog yn economaidd, ond mae hi'n 'wlad' sy'n gyfoethog o ran hanes a diwylliant. Mae ei thirwedd yn adlewyrchu haenau o'r hyn a fu yn ei henwau lleoedd, enwau ei nentydd, ei hafonydd a'i bryniau. O'r Mynydd Bach i Grug Mawr, o Hyddgen i Horeb, o Gastell Hywel i Gastell Nadolig, mae'r enwau lleoedd yn dyst i gymdeithas sy'n esblygu o hyd.

O Rhys Ddu i Christmas Evans, o Dafydd ap Gwilym i T Llew Jones, o Rhygyfarch i Cranogwen, o Dewi Sant i Mary Lloyd Jones, mae'r rhain yn enwau unigolion a gyfrannodd at yr hanes unigryw, hadau a fu'n sylfeini ein hunaniaeth. Dyma rai o'r unigolion niferus sydd wedi llunio ein naratif, cymeriadau nodedig a gyfrannodd at gymdeithas y sir.

Ceffylau Llynnoedd Teifi, 2011.
Teifi Pools horses, 2011.

Ceirw coch, Capel Dewi, Llandysul, 2014.
Yn ôl y sôn mae'r ceirw gwyllt hyn yn hanu o'r ceirw coch a fagwyd ar hen ystad Castell Hywel ger Pontsiân.

Red deer, Capel Dewi, Llandysul, 2014.
Apparently these wild deer are descended from red deer raised on the old Castell Hywel estate near Pontsiân.

Jane Mary Evans, Gwraig Ffarm, Capel Dewi, Llandysul, 2011. 'Mamgu' i fi, a mam i saith o blant. Bu'n gyfeilydd i'r grŵp gwerin Triawd Dyffryn Clettwr a bu'n byw yng Nghapel Dewi ers 1958. Fe'i ganwyd yn 1925.

Jane Mary Evans, Farmer's Wife, Capel Dewi, Llandysul, 2011. My grandmother, and mother to seven children. She was the accompanist for folk group Triawd Dyffryn Clettwr and has lived in Capel Dewi since 1958. She was born in 1925.

Judy a Rhydian Lewis, Ffarmwyr, Cwmcou, 2013.
Mae Judy a Rhydian yn magu gwartheg Dexter ar eu ffarm ar gyrion Cwmcou.

Judy and Rhydian Lewis, Farmers, Cwmcou, 2013. Judy and Rhydian breed Dexter cattle on their farm on the outskirts of Cwmcou.

Julie, Ffarmwr, Cwmtydu, 2011.
Mae Julie yn ffarmio defaid ar ei ffarm ger y Cilie, heb fod ymhell o Gwmtydu. O Derby y daw yn wreiddiol.

Julie, Farmer, Cwmtydu, 2011.
Julie farms sheep on her farm near the Cilie, not far from Cwmtydu. She comes from Derby originally.

Ynys Lochtyn o Hirallt, 2011.
Dyma'r man uchaf ar hyd arfordir Ceredigion, safle arbennig i weld y machlud ar ddiwrnod clir. Mae Ynys Aberteifi i'w gweld yn y pellter.

Ynys Lochtyn island from Hirallt, 2011.
The highest point on the Ceredigion coast is a spectacular place to see the sunset on a clear day. Cardigan Island can be seen in the distance.

Dr John Davies, Hanesydd,
Llandysul, 2012.
Cafodd Dr John Davies ei wahodd i
Groesoswallt yn 2015 i ddarlithio
yno. Pan gyrhaeddodd y gwesty
cafodd wybod bod y ddarlith wedi'i
gohirio am fod y newyddion ar led
bod Dr John Davies wedi huno.
Mae tri hanesydd o'r enw John
Davies yn y llyfr yma.

Dr John Davies, Historian,
Llandysul, 2012.
Dr John Davies was invited to give
a lecture in Oswestry in 2015.
When he arrived at the hotel, he
was told the lecture had been
cancelled, as the news had spread
that Dr John Davies had passed
on. There are three historians
called John Davies in this book.

Crychydd ger Cellan, 2014.
Aderyn swil yw'r crychydd, neu'r crëyr glas, sy'n pysgota gyda'i big hir yn y dŵr bas. Rwyf wedi gweld y crychydd mewn caeau ger Capel Dewi, mewn nentydd ger Ystrad Fflur, ac mewn amryw le ar hyd afon Teifi.

Grey heron near Cellan, 2014.
The grey heron is a shy bird, which fishes with its long beak in shallow waters. I've seen the heron in fields near Capel Dewi, in the streams near Strata Florida, and in a variety of locations along the Teifi.

Eirian Williams, Angharad Williams, Kevin Williams, Cyfreithwyr, Llandysul, 2013.
Mae Angharad a'i thad, Kevin, yn rhan o gwmni cyfreithwyr Williams and Bourne ar Sgwâr Harford yn Llanbed. Bu Kevin Williams yn gyfreithiwr yno ers 1978. Ffurfiwyd partneriaeth â chwmni Eirian Williams yn Llandysul yn 2013.

Eirian Williams, Angharad Williams, Kevin Williams, Solicitors, Llandysul, 2013.
Angharad and her father, Kevin, are partners in the Williams and Bourne firm of solicitors which is situated on Harford Square in Lampeter. Kevin Williams has been a solicitor there since 1978. They formed a partnership with Eirian Williams's company in Llandysul in 2013.

Gwyddau Canada, Llechryd, 2014.
Adar estron yw gwyddau Canada, fel y mae'r enw'n ei awgrymu, ond maen nhw'n olygfa ddigon cyffredin ar hyd y sir ar ôl i Charles II ddod â nhw i Brydain yn yr 17eg ganrif. Maen nhw'n pori ar wreiddiau, porfa, dail a hadau.

Canada geese, Llechryd, 2014.
Canada geese are foreign birds, as the name suggests, but they are a common enough sight across the county after being introduced to Britain by Charles II in the 17th century. They graze on roots, grass, leaves and seeds.

Ieuan Lewis, Artist, Cei Bach, 2014.
O Sir Fôn y daw Ieuan yn wreiddiol. Ar ôl dilyn gyrfa fel pensaer yng Nghaernarfon, symudodd i fyw i Gei Bach gyda'i wraig Lynne, sy'n dod o'r ardal. Hi sy'n cuddio y tu ôl i'r llun. Wedi iddo ymddeol, datblygodd ei waith celf ac mae'n gweithio fel artist o'i gartref yng Nghei Bach.

Ieuan Lewis, Artist, Cei Bach, 2014.
Ieuan is originally from Anglesey. Following a career as an architect in Caernarfon, he moved to Cei Bach with his wife Lynne, who comes from the area. She is the one hiding behind the picture. After retiring, he was able to concentrate on his art and now works as an artist from his home in Cei Bach.

Islwyn Jones, Carwyn Jones, Huw Jones, Ffarmwyr, Llanarth, 2012.
Bu farw Islwyn yn 2014. Roedd y tri'n gweithio ar ffarm Penlan-y-môr, rhwng Llanarth a Chei Bach. Yn ogystal â ffarmio, mae'r teulu hefyd yn cadw carafannau sefydlog ar gyfer ymwelwyr.

Islwyn Jones, Carwyn Jones, Huw Jones, Farmers, Llanarth, 2012.
Islwyn died in 2014. The three worked on Penlan-y-môr farm, between Llanarth and Cei Bach. As well as farming, the family also lets static caravans to tourists.

Machlud ger Betws Bledrws, 2012.
Sunset near Betws Bledrws, 2012.

Ynys Aberteifi, 2011.
Cardigan Island, 2011.

Gwreiddiau

Cafodd y graig sy'n llwyfan ar gyfer tir Ceredigion ei ffurfio yn y cyfnodau Ordofigaidd a Silwraidd. Ffurfiwyd y graig Ordofigaidd rhwng 505 a 438 miliwn o flynyddoedd yn ôl, ac fe ddilynodd y cyfnod Silwraidd hwnnw a pharhau am y 32 miliwn o flynyddoedd nesaf. Yn ystod y cyfnodau yma, roedd yr hyn a ddaeth yn Geredigion dan Gefnfor Iapetus, wrth ymyl cyfandir hynafol.

Ers tua 800,000 o flynyddoedd cafodd y tir ei ffurfio gan gyfnodau o orchuddion o lenni iâ a chyfnodau mwynach rhwng y rheiny. Parhaodd yr olaf o'r cyfnodau rhewlifol hyn, y Defensiad, tan tua 12,000 CC. Mae'n bur debyg bod pobol ar y tir hwn cyn hynny, ond dilëwyd y bobol, yr anifeiliaid a'r planhigion, ac unrhyw arwydd pellach o'r hyn a fu, gan effaith ddinistriol y rhewlif.

Er hynny, darganfuwyd olion Neanderthaliaid yn Ogof Pontnewydd, Sir Ddinbych, yn dyddio o tua 230,000 o flynyddoedd yn ôl. Archaeolegwyr o Amgueddfa Genedlaethol Cymru a ddaeth o hyd i'r dannedd a'r genau, ynghyd ag arfau cerrig ac esgyrn anifeiliaid gydag olion bwtsiera ar rai ohonynt. Dyma'r dystiolaeth gynharaf o fodau dynol sydd wedi'i darganfod yng Nghymru. Daw unig olion yr Oes Balaeolithig Ganol o Ogof Coygan ger Talacharn, lle darganfuwyd bwyeill cerrig a naddwyd rhwng 64,000 a 36,000 CC. Yn ne Penrhyn Gŵyr roedd y dyn ifanc a elwir 'Dynes Goch Paviland' yn byw tua 27,000 CC.

Mae'n bosib fod bodau dynol cynnar o'r cyfnodau hyn yn troedio tiroedd Ceredigion hefyd, ond nid oes dim olion o'r cyfnod cyn i'r gorchudd iâ guddio'r tir tua 21,000 CC. Dychwelodd grwpiau crwydrol o helwyr-gasglwyr wrth i'r tir dwymo rhwng tuag 8000 a 5000 CC, ar adeg pan oedd rhan helaeth o Geredigion wedi'i gorchuddio gan goedwig drwchus o bîn a derw.

Hela a physgota oedd prif ffynhonnell fwyd trigolion Ceredigion yng nghyfnod cynnar ein hanes. Tua 5,200 o flynyddoedd yn ôl bu newid mawr wrth i'r trigolion symud ymlaen o ddeiet bwyd y môr i fwyd o'r tir, a chafodd hynny ei brofi gan astudiaeth o'r isotopau carbon yn esgyrn Prydeinwyr hynafol. Cafwyd tystiolaeth ym Mhlas Gogerddan fod gwenith a barlys yn cael eu tyfu yno o gwmpas 3500 CC, yr arwydd cyntaf o ffarmio cnydau yn y sir.

Er nad oes fawr o brawf o'r math o bobol a oedd yma yn ystod Oes y Cerrig, mae Ceredigion yn weddol gyfoethog o ran olion o'r Oes Efydd, gan gynnwys cromlechi Rhos-goch Fach, Moelcerni a Wileirog, cylchoedd cerrig ger Betws Bledrws, Tre Taliesin a Choedmor, a meini hirion yn enwedig o gwmpas Pen-bont Rhydybeddau, Penbryn, Pont-rhyd-y-groes a'r ucheldiroedd ger Llanbed. Ceir hefyd lestri pridd, wrnau claddu lludw'r meirw a chwpanau, gwaywffyn a chleddyfau. Yng Nghors Fochno ger Ynyslas cafwyd hyd i darian bres, sy'n cael ei chadw yn yr Amgueddfa Brydeinig heddiw. Roedd trin metel yn dechnoleg newydd bwysig, a diolch i waith ymchwil a chloddio darganfuwyd safle mwyngloddio o'r cyfnod ar Fynydd Copa yng Nghwmystwyth.

Yn yr Oes Efydd Ganol a'r Oes Efydd Ddiweddar, rhwng tua 1400 a 700 CC, bu twf yn y boblogaeth a defnydd dwysach o'r tir. Sefydlwyd ffermydd ac iddynt diriogaethau a therfynau pendant. Ehangodd y broses o losgi a chlirio coed er mwyn tyfu cnydau, gan gynyddu lleithder y pridd ac ysgogi twf mawn. Disgynnodd y tymheredd yn is erbyn diwedd y cyfnod hwn, gan arwain at newyn ac aflonyddwch. Symudodd cymunedau o'r ucheldiroedd i'r bryngaerau a oedd wedi'u sefydlu yn yr Oes Haearn.

Yn ystod yr Oes Haearn roedd coedwigoedd trwchus ar hyd y dyffrynnoedd, gydag anifeiliaid gwyllt yn fygythiad cyson. Adeiladwyd caerau ar y bryniau i warchod y trigolion rhag eu gelynion a'r bwystfilod. Roedd dwy ran i'r dinasoedd cynnar hyn: cloddiau o bridd a cherrig yn amgylchynu'r drigfan fewnol, a ffosydd y tu allan i'r cloddiau. Yn y rhan allanol cedwid yr anifeiliaid, y coed tân a'r adnoddau eraill. Roedd y bobol yn byw mewn cutiau bychain crwn, a'u lloriau'n is na lefel y ddaear er mwyn cadw'r cartrefi'n gynnes.

Byddai'r ffarmwyr cyntefig hyn yn cadw ceffylau a gwartheg, defaid a chŵn ac yn tyfu ŷd ar lecyn cyfleus o ddaear gerllaw. Wrth fentro i'r dyffrynnoedd byddent yn hela'r arth a'r blaidd, y baedd gwyllt a'r carw coch. Dyma'r bobl a ddatblygodd y drefn hafod a hendref, gan symud anifeiliaid i'r tir uchel dros yr haf ac yna'u cludo'n ôl i'r hendref dros y gaeaf.

Rhoddwyd enwau hudolus i nifer o'r dinasoedd cynnar hyn. Ar yr arfordir deheuol roedd Castell Nadolig, Pendinas Lochtyn a dau Gastell-bach. Ceir Castell-bach arall wrth ymyl Llanrhystud. Yn Nyffryn Cerdin roedd Dinas Cerdin a Phencoedfoel, uwchben Llandysul, anheddfa sylweddol ei maint, tua 160m wrth 128m.

Yn ardal Llanbed roedd Castell Olwen, Castell Allt-goch a Chribyn Clotas. O symud tua'r gogledd roedd Castell Flemish, Castell Grogwynion a Chastell Bwa-drain. Uwchben Aberystwyth ceir Pen Dinas, sy'n mesur tua naw erw, un o fryngaerau mwyaf gorllewin Cymru. Rhyw chwe chilomedr i'r gogledd-ddwyrain o Aberystwyth mae'r Hen Gaer, a oedd yn amgáu tua tair erw o dir, gyda ffos ddofn o'i chwmpas, a rhagfur o bridd a cherrig tua thair neu bedair metr o uchder. Adfeilion yw'r rhain i gyd, a'r rheiny heb adael fawr o dystiolaeth, gan mai pren oedd y deunydd adeiladu. Serch hynny, mae yna ffermydd sy'n dwyn yr enwau Dinas Cerdin ac Allt-goch hyd heddiw ac mae pentref Cribyn yn Nyffryn Aeron o hyd.

Parhaodd y gymdeithas gyntefig hon trwy oes fer y Rhufeiniaid yng Ngheredigion. O tua 50 OC i tua 130 OC, bu'r Rhufeiniaid yn cynnal eu caerau ar hyd Sarn Helen yn y sir. Er na adawodd y Rhufeiniaid Brydain tan y 5ed ganrif, mae'n bur debyg mai Ceredigion oedd un o'r ardaloedd olaf ym Mhrydain i'r de o Wal Hadrian i deimlo'u heffaith, ac un o'r cyntaf i ddianc rhag dylanwad Ymerodraeth Rhufain.

Rhedai'r brif ffordd o Ffarmers dros y ffin i Lanfair Clydogau, yna i'r gogledd heibio caerau Llanio a Thrawsgoed i Bennal, ar lan ogleddol afon Dyfi. Roedd yna is-gaerau ym Mhen-llwyn ger Capel Bangor ac yn Erglodd, ychydig i'r gogledd o Dalybont. Sarn Helen yw'r enw ar y ffordd sy'n cysylltu de a gogledd y Gymru Rufeinig. Er ei bod yn bosib mai enw merch yw sail yr enw, credir hefyd fod posibilrwydd ei fod yn deillio o'r gair 'lleng', uned o wŷr traed a gwŷr meirch yn y fyddin Rufeinig, neu 'halen'.

Mae lluniau o'r awyr wedi bod yn bwysig wrth ddarganfod mwy am hanes y Rhufeiniaid yng Ngheredigion. Yn 1976 cafodd caer Erglodd ei ddarganfod, gydag olion y muriau pridd yn ymddangos yn ystod yr haf sych. Cafodd caer Pen-llwyn ei ddarganfod yn 1976 hefyd, a bu Ymddiriedolaeth Archaeolegol Gwynedd yn archwilio'r safle yn 2008. Yn ôl yr adroddiad, mae'n debyg mai pren oedd y gaer i gyd ac i Ben-llwyn a Thrawsgoed weithredu fel caerau am gyfnodau byr yn unig.

Roedd *Bremia*, y gaer ger ffarm Llanio Isaf, yn 3.8 erw. Dangosodd ymchwil archaeolegol i'r gaer gael ei chreu yn y 70au OC ac i'r Rhufeiniaid adael y safle rhwng 125 ac 130 OC. Roedd *Bremia* yn groesffordd Rufeinig, a'r ffordd yn parhau i'r de-ddwyrain i gyfeiriad mwyngloddiau aur Dolaucothi, neu'n troi i'r de-orllewin tua Llanbed ac yna Caerfyrddin a chaer *Moridunum*. Roedd y ffordd fynyddig o Lanfair Clydogau heibio Cwm Twrch i Ffarmers yn cysylltu â chaer Pumsaint, neu *Luentium*, safle 4.75 erw a ddarganfuwyd yn 1972–73. Bu'r gaer hon yn weithgar tan tua canol yr ail ganrif OC.

Wedi i'r Rhufeiniaid adael daeth Gwyddelod i dde-orllewin Cymru, gan adael eu holion ar ffurf cerrig nadd yr iaith Ogam. Ceir mwy o olion y gymdeithas hon yn Sir Benfro, sef hen frenhiniaeth Dyfed, nag sydd yng Ngheredigion. Er hynny, gwelir olion ar ffurf meini Ogam yn Llanarth, Llandysul a Rhuddlan Teifi. Gwelir cysylltiad rhwng yr hen grefydd Baganaidd a'r ffydd Gristnogol ar ffurf meini a oedd gynt yn gysegredig i'r Paganiaid. Sefydlwyd eglwysi cynnar hefyd mewn lleoliadau a oedd yn gysegredig i'r hen ffydd Baganaidd.

Prin yw'r dystiolaeth o'r cyfnod hwn, ond cawn gipolwg ar y gymdeithas wrth ystyried enwau'r eglwysi Celtaidd, ryw ddeugain ohonynt ar hyd y sir, sy'n dwyn enwau'r seintiau cynnar. Mae'n debyg mai'r Rhufeiniaid a'r masnachwyr cynnar o'r cyfandir oedd y cyntaf i gyflwyno Cristnogaeth i Brydain, a hynny o gwmpas 200 OC. Gydag amser datblygodd cysylltiadau rhwng Ceredigion a Chernyw, Iwerddon a'r tir a elwid Armorica, sef Llydaw.

Mae nifer o'r eglwysi cynnar yn parhau mewn enwau lleoedd: Y Ferwig a Gwbert, Capel Cynon a Silian; Dihewyd, Llanwenog, Llandysul a Henllan; Llanllŷr, Llanwnnen, Capel Dewi a Llanafan; Betws Bledrws, Llanina a Llanllwchaearn; Llandysiliogogo, Llanon a Thregaron; Llangybi, Trefilan a Llanbadarn.

Mae'n debygol mai yn ne-ddwyrain Cymru y datblygodd y ffydd yn gyntaf, a bod rhai o'r cenhadon cynnar wedi troedio'r hen ffyrdd Rhufeinig neu hen lwybrau Pumlumon, fel Padarn, y sant sydd ag eglwysi yn dwyn ei enw ym Mrycheiniog a Maesyfed. Daeth eraill dros y môr, fel Carannog a Pedrog o Ffrainc neu Cybi o Gernyw. Mae'n debygol fod Ffraid a Caron wedi dod o Iwerddon, a Deiniol a Tysilio o ogledd Cymru. Yn ôl y chwedl cafodd Dewi ei eni yn Llanon, yn fab i Sant, mab Ceredig, yn rhan o'r llinach frenhinol. Dywedir iddo gael ei addysg gynnar yn Henfynyw, ger Aberaeron, a cheir deg eglwys yn dwyn ei enw yn y sir, nifer ohonynt ar hyd glannau afon Teifi.

Ffurf y groes oedd i nifer o'r meini cynnar, fel y rhai o Landdewibrefi ac Ystrad Fflur sy'n perthyn i'r cyfnod rhwng y 7fed a'r 9fed ganrif. Wedi hynny datblygodd patrymau mwy addurnedig, a gwelir y rhain yn Llanddewibrefi a Llanwnnws. Yn Llanbadarn Fawr ceir maen hir wedi ei gerfio ar ffurf croes, a cheir hefyd batrymau Celtaidd prydferth ar feini yn Llanbadarn Fawr a Silian sy'n perthyn i'r 9fed a'r 10fed ganrif.

Ymhlith y meini hirion hyn ceir esiampl gynnar o 'lenyddiaeth Gymreig' y sir ar y garreg honno sy'n dwyn y geiriau 'CORBALENGI IACIT ORDOVS'. 'Dyma fedd Corbalengi, un o'r Ordofigiaid' yw'r cyfieithiad, ac mae'n coffáu gŵr a oedd yn perthyn i'r llwyth Brythonig a drigai yng ngogledd a chanolbarth Cymru yng nghyfnod y Rhufeiniaid.

Yn y 10fed ganrif roedd brenhinoedd Dyfed a Brycheiniog yn hawlio llinach Wyddelig, sy'n cyd-fynd â'r hanes Gwyddelig *Diarddeliad y Déisi* o'r 9fed ganrif. Cafodd llwyth y Déisi eu hel o Meath i Leinster, ac yna ymlaen i *Demed*, neu Ddyfed, tua'r 5ed ganrif, i fod yn frenhinoedd lleol. Gelwir eu harweinydd cyntaf yng Nghymru yn Eochaid mac Artchorp, a dywedir fod Tewdos ap Rhain o Ddyfed yn yr 8fed ganrif yn un o ddisgynyddion y Déisi.

Felly, mor gynnar â'r 5ed ganrif mae tystiolaeth am Wyddelod yn Nyfed a'r de-orllewin. Bu cenhadon Cymreig yn ymweld ag Iwerddon yn y 5ed, y 6ed a'r 7fed ganrif. Ar yr un pryd roedd y Sacsoniaid yn ymestyn eu gafael hyd at dde-ddwyrain Cymru. Yn y 6ed ganrif mae Gildas yn olrhain hanes gŵr balch a fu'n gweithio gyda'r Sacsoniaid cyn iddynt droi yn ei erbyn. Mae'n disgrifio'r brenin o'r 5ed ganrif fel *superbus tyrranus*. Yn yr 8fed ganrif mae'r mynach Beda o Northumbria yn enwi hwnnw fel *Vortigern,* sef Gwrtheyrn, ac arweinwyr y Sacsoniaid fel Hengist a Horsa.

Ceir cysylltiadau lleol â Gwrtheyrn ar lannau deheuol afon Teifi ger Llandysul, lle mae bryngaer o'r un enw yn rhan o dir ffarm Craig Gwrtheyrn. Yn ogystal â gwahodd Sacsoniaid i'r wlad, yn ôl y chwedl, priododd Gwrtheyrn ei ferch ei hun a llosgwyd ef a'i wragedd gan dân o'r nefoedd yng Nghraig Gwrtheyrn. Yn ôl traddodiad, brenin y Brythoniaid o'r 5ed ganrif ydoedd, ac roedd Nennius yn honni mai merch Hengist oedd un o'r gwragedd a fu farw yn y tân.

Yn ôl *Historia Brittonum* gan y mynach Nennius o'r 9fed ganrif, daeth Cunedda i Wynedd yn y 5ed ganrif i waredu'r Gwyddelod o'r tir. Honnir fod Cunedda yn arweinydd y *Votadini* o Fanaw Gododdin yn yr Hen Ogledd, yr ardal honno a gysylltir â cherdd 'Y Gododdin'. Yn ôl yr hanes, rhoddodd Cunedda enwau ei feibion ar rai o'r hen deyrnasoedd, gyda Meirion, Rhufen, Dunod, Ceredig, Dogfael ac Edern yn cyfateb i diroedd Meirionnydd, Rhufoniog, Dunoding, Ceredigion, Dogfaeling ac Edeirnon. Er bod tystiolaeth archaeolegol yn cysylltu Gwynedd â'r Hen Ogledd, mae'n bosib mai propaganda cynnar yw'r hanes hwn, wrth i Ferfyn Frych geisio cyfiawnhau ei linach frenhinol yng Ngwynedd yn y 9fed ganrif.

Y cyfeiriad hanesyddol cyntaf at frenin Ceredigion yw'r cyfeiriad at y Brenin Arthen a fu farw yn 807, er bod teyrnas Ceredigion yn olrhain y llinach frenhinol yn ôl at Ceredig. Ceir traddodiad hwyrach yng Ngheredigion am Seisyll, tad Arthen, yn cipio Ystrad Tywi i ffurfio teyrnas newydd Seisyllwg, er bod tystiolaeth gyfoes yn cyfeirio at y deyrnas fel Ceredigion. Ni fu Ceredigion yn frenhiniaeth annibynnol eto ar ôl i Rhodri Mawr ei hawlio yn 872. Er hynny, tiroedd Ceredigion ac Ystrad Tywi oedd man cychwyn teyrnasiad eang Hywel Dda, a pharhaodd Ceredigion yn uned 'gwlad' y tu mewn i deyrnasoedd eraill, a hynny dan ddylanwad arglwyddi Cymreig neu Normanaidd, nes ffurfiwyd Sir Aberteifi yn 1284.

Erbyn yr 11eg ganrif, roedd pedair brenhiniaeth o bwys yng Nghymru, sef Gwynedd, Powys, Morgannwg a Deheubarth. Cyn 1064 roedd pedwar arweinydd wedi ymestyn eu gafael dros ran helaeth o dir Cymru, gan gynnwys Ceredigion, sef Rhodri Mawr (m. 878) a Gruffudd ap Llywelyn (m. 1063/64) o Wynedd a Hywel Dda (m. 950) a Maredudd ab Owain (m. 999) o Ddeheubarth.

Yn 954, ar ôl goresgyn y Northmyn yng Nghaerefrog, unwyd Lloegr gan Eadred o Wessex dan un brenin, ac roedd Kenneth mac Alpin wedi cychwyn y broses o uno'r goron yn yr Alban ganol y 9fed ganrif. Y prif reswm dros ddyrchafiad Wessex i reoli Lloegr oedd fod y Northmyn eisoes wedi concro Dwyrain Anglia, Mercia a Northumbria, gan adael Wessex yr unig frenhiniaeth frodorol a allai uno Lloegr. Ond ni chafodd 'gwledydd' Cymru eu concro gan y gwŷr o Ddenmarc a Norwy. Bu yna frwydro gyda'r Northmyn, y Sacsoniaid a'r Gwyddelod, ond roedd y Cymry hefyd yn parhau eu hen draddodiad o ymladd ymysg ei gilydd.

Rhwng 949 ac 1066 ceir cofnod am 35 arweinydd Cymreig yn marw'n dreisgar, yn aml trwy law Cymry eraill yn hytrach na'r Saeson neu'r Northmyn. Serch hynny, roedd y wlad i'r dwyrain o Gymru yn dylanwadu ar y 'gwledydd Cymreig' o'r 10fed ganrif o leiaf. Dywedir fod Aethelstan o Wessex wedi datgan ei or-arglwyddiaeth dros frenhinoedd Cymru mewn cyfarfod yn Hwlffordd yn 927, a Hywel Dda yn eu plith.

Y brenin cyntaf i reoli'r rhan fwyaf o dir Cymru oedd Rhodri Mawr, a fu farw yn 878. Etifeddodd Wynedd oddi wrth ei dad, Merfyn Frych, yn 844, gan frwydro i amddiffyn ei deyrnas rhag y Northmyn a theyrnas Mercia o ganolbarth Lloegr, yn ogystal ag ymestyn grym Gwynedd dros deyrnasoedd eraill Cymru. Roedd Nest, mam Rhodri, yn hanu o deulu brenhinol Powys, a chipiodd deyrnas Powys pan fu farw'r brenin Cyngen ap Cadell yn Rhufain yn 856. Daeth cyfle i hawlio Ceredigion pan fu farw brenin olaf y sir, Gwgon ap Meurig, a foddodd yn 872. Roedd Rhodri yn briod ag Angharad, chwaer Gwgon, ac mae gyrfa Rhodri yn arwydd o'r ffordd y gallai priodasau brenhinol fod yn allweddol wrth gyfiawnhau'r penderfyniad i ymestyn dylanwad y teyrnasoedd cynnar.

Collodd Rhodri frwydr yn erbyn y Northmyn yn 877, a bu farw yn brwydro yn erbyn y Sacsoniaid yn 878. Daeth ei fab, Anarawd, i gymryd ei le, gan drechu'r Sacsoniaid yn 881 a rheibio'r de, lle roedd Hyfaidd ap Bledri o Ddyfed ac Elise ap Tewdwr o Frycheiniog yn ceisio amddiffyn eu tiroedd gyda chefnogaeth y Sacsoniaid. Fodd bynnag, sicrhaodd Anarawd ei gynghrair ei hun gyda Wessex, a bu Sacsoniaid Wessex yn brwydro ochr yn ochr ag Anarawd ar adegau. Cafodd gefnogaeth y Sacsoniaid yn 895 pan ymosododd ar Ystrad Tywi a Cheredigion. Bu farw Anarawd yn 916, a disgrifir ef yn y *Brut* fel 'brenin y Brythoniaid'.

Er hynny, roedd Anarawd yn cydnabod Brenin Wessex fel ei arglwydd, a pharhaodd y berthynas rhwng y Cymry a'r Sacsoniaid pan ddaeth Eadward yr Hynaf yn frenin. Roedd Hywel a Clydog ap Cadell ymysg y brenhinoedd Cymreig a ildiodd i Eadward yn Tamworth yn 918. Ildiodd Hywel ap Cadell eto i Aethelstan o Wessex yn 927. Roedd y brenhinoedd Cymreig yn cydnabod gor-arglwyddiaeth Wessex, a disgrifid hwy fel *subregulus* neu is-frenhinoedd.

Daeth diwedd ar linach Wyddelig Dyfed gyda marwolaeth Llywarch ap Hyfaidd yn 904. Daeth Cadell, brawd Anarawd, yn frenin ar Ddyfed ac yna ar Ystrad Tywi. Cynigiodd gefnogaeth filwrol i Wessex a thalodd wrogaeth i'r brenin. Yn ôl William o Malmesbury o'r 12fed ganrif, aeth y brenhinoedd Cymreig i gyfarfod Aethelstan yn Henffordd yn 927 er mwyn talu gwrogaeth iddo o 20 pwys o aur, 300 pwys o arian, 25,000 o ychen a nifer o gŵn ac adar hela.

Erbyn y 10fed ganrif roedd un o ddisgynyddion Rhodri Mawr, sef Hywel ap Cadell, yn frenin ar y deyrnas a elwir Seisyllwg, sef Ceredigion ac Ystrad Tywi, gan reoli gyda'i frawd Clydog o 903 tan farwolaeth Clydog yn 920. Wedi hynny datblygodd Hywel i fod yn frenin ar dri-chwarter tiroedd

Cymru. Priododd Hywel ag Elen, merch Llywarch ap Hyfaidd, a phan laddwyd Llywarch yn 904 cipiwyd teyrnas Dyfed gan Hywel a Clydog a'u tad Cadell, gan greu teyrnas Deheubarth.

Cipiodd Hywel deyrnas Gwynedd yn dilyn marwolaeth Idwal Foel yn 942. Bu'n brwydro gydag Iago ac Ieuaf, meibion Idwal, ond rheolodd Wynedd tan ei farwolaeth o gwmpas 949. Ychwanegodd Brycheiniog at ei deyrnas yn 944. Fe'i cydnabyddid yn frenin gan frenhinoedd Lloegr, ac ef yn unig o'r brenhinoedd Cymreig canoloesol cynnar a fathodd arian, gan greu ceiniog arian yn dwyn y geiriau *Howel Rex*. Cydnabyddid Hywel hefyd yn 'frenin y Brythoniaid', ac er iddo gydnabod gor-arglwyddiaeth brenhinoedd Wessex, ef yn unig o blith y Cymry a gafodd ei alw'n *regulus* pan goronwyd Eadred yn 946. Hywel hefyd sy'n cael ei gysylltu â rhoi trefn ar y system gyfreithiol Gymreig. Dywedir iddo gasglu clerigwyr o bob rhan o Gymru yn Hendy-gwyn er mwyn trafod a chydlynu'r system honno a adnabyddir fel 'Cyfreithiau Hywel Dda'.

Cyn dyfodiad y Normaniaid roedd trefn Gymreig naturiol yn bodoli, a honno'n dilyn Cyfraith Hywel Dda. Fel pob 'gwlad' arall yng Nghymru, rhannwyd Ceredigion yn gymydau, gydag arglwydd lleol yn rheoli pob cwmwd ac yn ateb i'r brenin yr oedd yn talu gwrogaeth iddo. Trigai gwŷr rhyddion ar drefi rhydd. Nhw oedd uchelwyr y gymdeithas, ac roeddynt yn gweinyddu amaethdai annibynnol. Roedd gweddill y gymdeithas, y taeogion a'r caethweision, yn byw mewn maerdrefydd ac yn gwasanaethu eu harglwydd lleol, heb ryddid i wrthod gwneud hynny, gan ddilyn cyfarwyddyd *maer y biswail*. Yr arglwydd hefyd oedd perchennog melinau blawd y cwmwd, ac roedd yn rhaid i bawb yn y cwmwd hwnnw ddefnyddio'r melinau a thalu cyfran o'u cynnyrch neu swm o arian am yr hawl i wneud hynny.

Roedd llys brenhinol i bob cwmwd ac adeiladau cymunedol y llys wedi'u gwneud o goed. Byddai'r brenin yn cynnal ei lys ddwywaith y flwyddyn, a dyletswydd uchelwyr y cwmwd oedd darparu bwyd a diod ar gyfer y llys.

Erbyn y 10fed ganrif roedd brenhinoedd y Cymry a'r Sacsoniaid wedi datblygu rhyw fath o gyfaddawd, a'r teyrnasoedd Sacsonaidd yn barod i dderbyn cydnabyddiaeth y Cymry er mwyn gallu canolbwyntio ar y frwydr yn erbyn y Northmyn. Pan fu farw Eirik Bloodaxe yn 954, daeth diwedd ar bymtheng mlynedd o frwydro cyson rhwng y Northmyn a'r Sacsoniaid, cyfnod pan fu naw brenin gwahanol yn teyrnasu dros Gaerefrog. Bryd hynny hefyd y syrthiodd teyrnas olaf y Northmyn yn Lloegr, a bu llai o bwyslais ar y cyfamod rhwng y Cymry a'r Sacsoniaid wrth i'r Sacsoniaid ganolbwyntio ar diroedd Northumbria.

Cafwyd mwy o ymosodiadau ar Gymru gan y Northmyn yn ail ran y 10fed ganrif, yn ogystal ag ymgyrchoedd newydd gan y Sacsoniaid. Daeth Eadric Streona o Mercia mor bell â Thyddewi yn 967. Bu'r Cymry hefyd yn ymladd ochr yn ochr â'r Sacsoniaid yn erbyn teyrnasoedd Cymreig eraill. Ymosododd Edwin ab Einion ar Ddyfed, Ceredigion, Gŵyr a Chydweli yn 992 gyda chymorth Edylfi y Sacson.

Er na sefydlodd y Northmyn ganolfan ar arfordir Ceredigion, roedd eu heffaith ar drigolion Deheubarth yn gyson, a hynny fel gelynion neu fel cynghreiriaid yn erbyn teyrnasoedd Cymreig eraill neu yn erbyn y Sacsoniaid. Talodd Maredudd ab Owain o Ddyfed geiniog y pen i ryddhau Cymry o gaethwasiaeth y Northmyn yn 989, a thalodd Rhys ap Tewdwr am gefnogaeth y Northmyn gan ddefnyddio caethweision yn 1088. Deuai'r Northmyn o ganolfannau yn Iwerddon, Ynys Manaw neu Ynysoedd Heledd, sef yr Hebrides, gan ymosod ar Lanbadarn Fawr a

Llandudoch yn 988. Bu saith ymosodiad ar Dyddewi rhwng 967 ac 1091.

Roedd yna fasnach rhwng Northmyn Iwerddon a'r Cymry, a rhai Cymry'n byw yn ardal Dulyn yn yr 11eg ganrif. Ar adegau byddai'r Northmyn yn gynghreiriaid defnyddiol. Bu Northmyn o Iwerddon yn brwydro gyda Rhys ap Tewdwr yn erbyn meibion Bleddyn ap Cynfyn yn 1088. Ymestynnodd eu dylanwad ar hyd y canrifoedd rhwng y 9fed a'r 12fed ganrif, gyda 15 o longau o Northmyn Iwerddon yn cefnogi ymosodiad Anarawd a Cadell ap Gruffudd ac Owain a Cadwaladr ap Gruffudd ap Cynan ar Aberteifi yn 1138.

Bu'r Northmyn Gwyddelig yn gynghreiriaid tymor hir i Gruffudd ap Cynan, brenin Gwynedd, a anwyd ac a fagwyd yn Iwerddon gan fam o dras y Northmyn. Roedd llynges o Northmyn, Gwyddelod a Chymry yn cefnogi Gruffudd pan deithiodd i frwydr Mynydd Carn mewn cynghrair â Rhys ap Tewdwr. Dywedir mai'r Gwyddel Gucharki a laddodd Trahaearn ap Caradog yn y frwydr honno. Byddai Rhys ap Tewdwr yn cysylltu ag Iwerddon yn gyson ac roedd ganddo berthnasau'n byw yno. Danfonwyd ei fab, Gruffudd, at y perthnasau hyn yn Iwerddon, er diogelwch, yn dilyn marwolaeth Rhys yn 1093.

Hywel Dda a sefydlodd deyrnas Deheubarth. Yn dilyn ei farwolaeth o gwmpas 950 sefydlwyd patrwm yn hanes y deyrnas honno lle byddai cyfnod o anhrefn yn dilyn teyrnasiad brenin neu dywysog cryf. Yn syth wedi marwolaeth Hywel bu anghydfod rhwng ei feibion a meibion Idwal, a oedd wedi cipio Gwynedd yn dilyn buddugoliaeth ym mrwydr Carno yn 949. Erbyn 952 roedd Iago ac Idwal ab Idwal yn ymosod ar Ddyfed, a rheibiwyd Ceredigion gan y brodyr yn 954. Serch hynny, sefydlodd Owain ap Hywel ei hun yn Nyfed ac ymosododd ei fab, Einion, ar Benrhyn Gŵyr

yn 970 a 977. Daeth Einion yn frenin ar Frycheiniog erbyn 983, ond fe'i lladdwyd gan ddynion Gwent yn 984.

Bu farw Owain ap Hywel yn 988 ac yn ei le daeth ei fab, Maredudd ab Owain. Pan fu farw Hywel ap Ieuaf yn 985, lladdwyd Cadwallon, brawd Hywel, gan Maredudd ab Owain yn 986 a daeth Gwynedd a Môn dan ei reolaeth. Cipiodd Bowys yn 992. Collodd ei afael ar y gogledd pan drechwyd ef gan feibion Meurig yn Llangwm yng Ngwynedd, ond parhaodd ei afael ar weddill y deyrnas tan ei farwolaeth yn 999, ac fe'i disgrifir ef hefyd fel 'brenin y Brythoniaid'.

Trwy gydol y brwydro cyson rhwng llinach frenhinol Gwynedd a Deheubarth roedd Ceredigion yn gyrchle allweddol, bron fel rhyw ddarn gwyddbwyll, ac yn diriogaeth ganolog i Gymru gyfan. Erbyn diwedd y 10fed ganrif sefydlwyd patrwm wrth i'r naill deyrnas Gymreig a'r llall ymestyn eu gafael dros y rhan helaeth o Gymru a cheisio sefydlu un frenhiniaeth sefydlog. Er i bedwar o arweinwyr y Cymry sefydlu goruchafiaeth dros dro yn y 9fed a'r 10fed ganrif, ni lwyddodd yr un ohonynt i uno Cymru yn y tymor hir.

Castell Nadolig, ger Penbryn, 2011.
Mae'r ffarm wedi'i henwi ar ôl y fryngaer gyfagos.

Castell Nadolig, near Penbryn, 2011.
The farm shares its name with the nearby hillfort.

Pendinas Lochtyn, Llangrannog, 2010.
Pendinas Lochtyn, Llangrannog, 2010.

Gwen, Rosie, Emma Vaughan-Butters, Chelsea, Aberystwyth, 2013.
Rosie a Chelsea yw enwau'r asynnod, a Gwen yw'r ferch fach ar gefn yr asyn. Roedd Emma a'i thad, John Vaughan-Butters, yn dilyn y traddodiad teuluol o ddarparu asynnod i ymwelwyr, sydd wedi parhau ers dros 70 mlynedd. O Lanidloes y daw'r teulu, a Peter Vaughan, tad-cu John, a gychwynnodd y fenter.

Gwen, Rosie, Emma Vaughan-Butters, Chelsea, Aberystwyth, 2013.
The donkeys are called Rosie and Chelsea, and Gwen is the young girl on the back of the donkey. Emma and her father, John Vaughan-Butters, are following the family tradition of providing donkeys for visitors, which has been ongoing for 70 years. The family come from Llanidloes and the venture was started by Peter Vaughan, John's grandfather.

Rose Wood, Artist, Aberystwyth, 2012.
Ar ôl ennill cystadleuaeth, treuliodd Rose flwyddyn yn gweithio yn ddi-rent yn un o'r podiau creadigol y tu ôl i Ganolfan y Celfyddydau. Gemwaith lledr yw ei phrif gynnyrch.

Rose Wood, Artist, Aberystwyth, 2012.
After winning a competition, Rose spent a year working rent-free in one of the creative pods behind the Arts Centre. The majority of her work is jewellery made out of leather.

Ruth Jên Evans, Artist, Talybont, 2014.
Ruth ger ei phabell yn yr Eisteddfod
Genedlaethol. Mae Ruth yn creu printiau
difyr ar y thema 'Menywod Cymreig'.

*Ruth Jên Evans, Artist, Talybont, 2014.
Ruth near her tent at the National
Eisteddfod. Ruth creates amusing prints
of 'Welsh Ladies'.*

Kate Murray, Artist, Tyn'reithin, 2012.
Daw tad Kate o India a'i mam o'r Alban. Arferai redeg cwmni Kate's Soft Toys a chreu teganau meddal gwreiddiol, ond bu'n rhaid iddi roi'r gorau i'r busnes oherwydd problemau gyda'i llygaid.

Kate Murray, Artist, Tyn'reithin, 2012.
Kate's father comes from India and her mother from Scotland. She ran the company Kate's Soft Toys making original soft toys, but had to give up the business because of problems with her eyesight.

Meinir Mathias, Artist, Pontsiân, 2014.
Meinir yn gweithio ar gomisiwn yn Eisteddfod Genedlaethol Sir Gâr yn 2014.

Meinir Mathias, Artist, Pontsiân, 2014.
Meinir working on a commission at the National Eisteddfod in Carmarthenshire in 2014.

Defaid Mynydd Bach, 2012.
Ger Llyn Eiddwen.

Mynydd Bach sheep, 2012.
By Llyn Eiddwen lake.

Vernon Griffiths, Ffarmwr, Cwrtnewydd, 2009. Roedd Vernon a'i wraig Jill yn ffarmwyr. Bu Vernon hefyd yn aelod o Fyddin Rhyddid Cymru, sef yr FWA. Roedd yn un o'r rhai a gafodd eu carcharu adeg Arwisgo'r Tywysog Charles yng Nghaernarfon yn 1969. Bu farw yn 2010.

Vernon Griffiths, Farmer, Cwrtnewydd, 2009. Vernon and his wife Jill were farmers. Vernon had also been a member of the Free Wales Army. He was one of those jailed during Prince Charles's Investiture in Caernarfon in 1969. He died in 2010.

Sian a Heledd ap Gwynfor, Tresaith, 2014.
Diwrnod lansio'r gwasanaeth gweini bwyd ar y teras ger y traeth. Heledd sy'n rheoli Siop Tresaith a'r Ganolfan Lety gerllaw ac roedd Sian wedi dod i gynnig cymorth i'w merch.

Sian and Heledd ap Gwynfor, Tresaith, 2014.
Launch day for serving food on the terrace. Heledd runs Siop Tresaith and the accommodation centre nearby and Sian had come to help her daughter.

Rhodri ap Dyfrig, Aberystwyth, 2010.
Roedd Rhodri'n fyfyriwr ôl-radd ym Mhrifysgol Aberystwyth ar y pryd, yn ymchwilio'r defnydd o'r we a fideo gan ieithoedd lleiafrifol. Daeth yr ymchwil i ben yn haf 2014. Bu hefyd yn gyfrifol am gymdeithas ffilmiau Cymraeg o'r enw Pictiwrs yn y Pyb.

Rhodri ap Dyfrig, Aberystwyth, 2010.
At the time Rhodri was a postgraduate student at Aberystwyth University, researching the use of the web and video by minority languages. His research came to an end in summer 2014. He was also responsible for the Welsh-language film society 'Pictiwrs yn y Pyb' (Pictures in the Pub).

Calvin Griffiths, Cenarth, 2014.
Un o Lanfihangel-ar-Arth yw Calvin, ond yma mae'n dangos ei ddoniau llywio cwrwgl fel rhan o Ŵyl yr Afon 2014. Mae e hefyd yn aelod blaengar o Glwb Hanes Llanfihangel-ar-Arth.

Calvin Griffiths, Cenarth, 2014.
Calvin comes from Llanfihangel-ar-Arth, but here he demonstrates his coracle skills as part of 'Gŵyl yr Afon' (The River Festival) in 2014. He is also a leading member of the Llanfihangel-ar-Arth village history club.

Arwyddbost Derwen Gam, 2014.
Derwen Gam signpost, 2014.

Gwlad Ceredigion

Wedi marwolaeth Maredudd ab Owain daeth Edwin ab Einion yn frenin ar Ddeheubarth. Roedd yn fab i fab hynaf Owain ap Hywel Dda, ac ef oedd y brenin naturiol, ond mae lle i ddyfalu a fu farw Maredudd o achosion naturiol yn 999. Bu Edwin yn frenin Deheubarth tan ei farwolaeth yn 1022. Wedi hynny bu coron Powys a mab Maredudd yn brwydro dros goron Dinefwr. Dihangodd Rhain, mab llwyn a pherth Maredudd, i Iwerddon pan fu farw ei dad yn 999.

Yn 1022 daeth dyn o Iwerddon yn honni mai ef oedd Rhain a chefnogwyd ef gan ddynion Deheubarth. Erbyn 1018 roedd Llywelyn ap Seisyll o Bowys yn frenin ar Wynedd, ac yn 1022 cipiodd Ddeheubarth. Trechwyd lluoedd Rhain gan filwyr Llywelyn a ffodd Rhain o'r maes. Bu farw Llywelyn ap Seisyll yn 1023. Wedi marwolaeth Llywelyn daeth Iago ap Idwal yn rheolwr Gwynedd ac ehangodd dylanwad Deheubarth dan arweiniad Rhydderch ap Iestyn. Un o Ddyfed oedd Rhydderch, fwy na thebyg. Estynnodd ei afael dros Ddeheubarth a rhannau o Forgannwg tan ei farwolaeth yn 1033.

Rheolwyd Deheubarth gan Maredudd ab Edwin a Hywel ab Edwin o linach Hywel Dda rhwng o leiaf 1033 ac 1035, pan fu farw Maredudd trwy law dynion Cynan ap Seisyll o Bowys, ac yna bu Hywel ab Edwin yn frenin hyd at 1044. Daeth

Gruffudd ap Rhydderch o Forgannwg i gymryd lle Hywel yn Neheubarth, a bu brwydro rhyngddo ef a Gruffudd ap Llywelyn o Wynedd tan farwolaeth Gruffudd ap Rhydderch o gwmpas 1056.

Yng nghanol yr holl frwydro, bu datblygiadau diwylliannol pwysig yng Nghymru yn yr 11eg ganrif. Roedd hwn yn gyfnod cyffrous i'r *clas* yn Llanbadarn. Daeth Sulien yn esgob Tyddewi yn 1073 ac roedd ef a'i feibion, Rhygyfarch a Ieuan, yn gymeriadau o bwys. Rhygyfarch a ysgrifennodd *Buchedd Dewi*, hanes bywyd y sant. Credir hefyd mai tua 1060 y cafodd *Y Mabinogi* ei ysgrifennu.

Daeth tro ar fyd i'r Cymry gyda marwolaeth Harold Godwinson yn Hastings, a dyfodiad William Goncwerwr i goron Lloegr yn 1066. Harold oedd yr Iarll o Henffordd a ddymchwelodd rym Gruffudd ap Llywelyn yn 1063. Ac yntau'n perthyn i linach y Brenin Cnut, daeth yn frenin ar Loegr ym Medi 1066 ar ôl ennill brwydr yn erbyn Harald Hardrada o Norwy, a oedd hefyd yn hawlio'r goron. Bythefnos wedi hynny collodd ei fywyd ym mrwydr Hastings yn erbyn y Normaniaid, disgynyddion i'r Northmyn hynny a oedd wedi setlo yng ngogledd Ffrainc. Erbyn 1070 roedd William Goncwerwr wedi sicrhau ei afael ar Loegr.

Yn 1071, sefydlodd William I iarllaethau newydd yn

Henffordd, Amwythig a Chaer er mwyn gwarchod y ffin â Chymru, er bod setlwyr Normanaidd ar y ffin ers y 1050au. Rheibiodd Roger o Montgomery diroedd Ceredigion yn 1073 ac 1074, mewn cyfnod pan nad oes cofnod am arweinydd Cymreig yn y sir. Ond llwyddodd Bleddyn ap Cynfyn i gipio'r deyrnas erbyn 1075 cyn cael ei ladd gan Rhys ab Owain. Yn 1078 cafodd Rhys ei drechu gan Trahaearn ap Caradog ac yna fe'i lladdwyd gan Caradog ap Gruffudd. Yna lladdwyd Trahaearn ap Caradog ym mrwydr Mynydd Carn yn ne-orllewin Cymru yn 1081 gan fyddin a oedd yn cynnwys Rhys ap Tewdwr.

Deuai Rhys ap Tewdwr o linach Hywel Dda. Daeth yn frenin ar Ddeheubarth yn 1079 yn dilyn llofruddiaeth Rhys ab Owain. Digwyddodd hynny yn y cyfnod pan oedd y Normaniaid yn ymddangos ar diroedd Cymru am y tro cyntaf, a bu'n brwydro yn erbyn y gelyn newydd, yn ogystal â gelynion o Gymru a'r Northmyn. Yn ystod blynyddoedd cyntaf ei deyrnasiad bu'n brwydro yn erbyn Northmyn o Iwerddon a Caradog ap Gruffudd, brenin Gwent a Morgannwg.

Yn ôl *Llyfr Dydd y Farn* (*Domesday Book*) o 1086, rheolid de Cymru gan ddyn o'r enw 'Riset', sef Rhys ap Tewdwr. Yn 1081 aeth William I a'i fyddin trwy dde Cymru cyn belled â Thyddewi, yn dilyn buddugoliaeth Rhys ap Tewdwr a Gruffudd ap Cynan o Wynedd ym mrwydr Mynydd Carn yn gynharach yn 1081.

Bu Rhys a Gruffudd yn ymladd yn erbyn Caradog ap Gruffudd a Trahaearn ap Caradog, a oedd yn rheoli Deheubarth a Gwynedd ar y pryd. Cafwyd cefnogaeth ychwanegol gan filwyr cyflogedig o Ddulyn. Yn 1063 talodd Bleddyn ap Cynfyn wrogaeth i Edward y Cyffeswr ac etifeddodd William I hawl Edward i'r wrogaeth honno gan frenin Gwynedd. Pan laddwyd Bleddyn gan Rhys ab Owain o

Ddeheubarth yn 1075, daeth cefnder Bleddyn, sef Trahaearn, o frenhiniaeth fechan Arwystli, i gipio coron Gwynedd. Felly, daeth Gruffudd ap Cynan o'i alltudiaeth ger Dulyn i hawlio'i etifeddiaeth yng Ngwynedd.

Yn dilyn y fuddugoliaeth ym Mynydd Carn, cafodd Gruffudd ei gipio gan filwyr Normanaidd pan oedd ar ei ffordd yn ôl i Wynedd, a'i garcharu yng Nghaer. Doedd yr un o frenhinoedd Lloegr wedi cydnabod brenin brodorol yng Ngwynedd ers marwolaeth Bleddyn yn 1075, ac felly roedd hi'n dderbyniol gan William i Robert o Ruddlan gipio tiriogaeth Gwynedd. Daeth y gyfundrefn fregus yn Neheubarth i ben gyda marwolaeth William yn 1087. Yn ôl *Brut y Tywysogyon*:

'Ac yna y bu varw Gwilym Bastard, tywyssawc a Normanyeit a brenhin y Saeson a'r Brytainyeit a'r Albanwyr...'

Doedd William II ddim yn glwm i addewidion ei dad, ac roedd ei frawd hŷn, Robert o Normandi, yn ceisio hawlio coron Lloegr. Roedd William II yn fwy dibynnol ar gefnogaeth Normaniaid y ffin, a dechreuwyd ymgyrchoedd y Normaniaid i hawlio tiroedd Cymreig.

Yn 1088 ymosododd Madog, Cadwgan a Rhirid, meibion Bleddyn ap Cynfyn o Bowys, ar deyrnas Rhys ap Tewdwr a dihangodd Rhys i alltudiaeth yn Iwerddon. Cyn diwedd y flwyddyn daeth Rhys yn ôl gyda chefnogaeth y Gwyddelod gan drechu'r tri brawd ym mrwydr Llech-y-Crau. Lladdwyd Madog a Rhirid.

Yna yn 1091 ceisiodd Gruffudd ap Maredudd hawlio'r deyrnas, ond fe'i trechwyd gan Rhys ap Tewdwr mewn brwydr yn Llandudoch. Roedd Gruffudd yn byw yn alltud yn Lloegr ers rhai blynyddoedd ac mae'n bosib i William II ei annog i hawlio'r deyrnas er mwyn disefydlogi Rhys. Roedd Gruffudd yn nai i Rhys ab Owain, hwnnw a lofruddiwyd cyn i

Rhys ap Tewdwr hawlio'r deyrnas yn 1079. Bu farw Rhys ap Tewdwr yn y brwydro yn erbyn y Normaniaid dan arweiniad Bernard de Neufmarché ym Mrycheiniog yn 1093. Yn ôl *Brut y Tywysogyon*, dyna oedd diwedd brenhiniaeth y Cymry. Yn dilyn marwolaeth Rhys ehangodd y Normaniaid o'r gororau i mewn i diroedd de-orllewin Cymru.

O Henffordd symudodd Bernard de Neufmarché ar hyd Dyffryn Gwy er mwyn cipio brenhiniaeth Brycheiniog. O Amwythig daeth yr Iarll Arnulf, gan symud i'r gorllewin ar hyd afon Hafren ac i lawr trwy fwlch Talerddig hyd at lannau Bae Ceredigion. Sefydlwyd castell tomen a beili Din Geraint gan yr Iarll Roger yn Aberteifi yn 1093, y cyntaf o gestyll y Normaniaid yn y sir, ond dinistriwyd hwnnw gan y Cymry yn 1094. Adeiladwyd castell a bwrdeistref ym Mhenfro bryd hynny, a hwn fyddai'n sail i weithgarwch y Normaniaid yng Ngheredigion hyd at oresgyniad terfynol y wlad yn 1282. Er gwaethaf dwy ganrif o frwydro yn erbyn y Normaniaid, ni ddaeth cadarnle Castell Penfro fyth i ddwylo'r Cymry.

Roedd gan yr arglwyddi yr hawl i godi eu cestyll eu hunain er mwyn amddiffyn eu tiriogaethau. Erbyn diwedd 1094, tra oedd William II yn Normandi, chwalwyd cestyll y Normaniaid yn Nyfed a Cheredigion gan y Cymry, ond goroesodd Penfro a Rhyd-y-Gors, ger Caerfyrddin. Roedd Cadwgan ap Bleddyn o Bowys ymysg yr ymosodwyr. Yn ystod y cyfnod hwn daeth Ceredigion a Deheubarth dan ddylanwad Powys, sir oedd yn cael ei rheoli gan Cadwgan ap Bleddyn ac Owain, ei fab.

Gyda chefnogaeth y Normaniaid, hawliodd Cadwgan diroedd Ceredigion yn 1099. Bu Robert Iarll Amwythig a'i frawd, Arnulf, a oedd yn rheoli Penfro, yn brwydro yn erbyn y brenin newydd, Henry I, yn 1100, ac ar y cychwyn roedd Cadwgan a'i frodyr, Iorwerth a Maredudd, yn ochri gyda nhw.

Fodd bynnag, daeth y brenin i gytundeb gydag Iorwerth, gan roi tiroedd Powys, Ceredigion a hanner tiroedd Dyfed iddo. Rhannodd Iorwerth y tir gyda'i frawd, Cadwgan, gan roi Ceredigion iddo a rhan o Bowys.

Yn y cyfamser cafodd Gerald de Windsor, a oedd gynt yn stiward i Arnulf, ran o diroedd Penfro i'w rheoli ar ran y brenin. Yn 1108 adeiladodd Gerald de Windsor Gastell Cenarth Bychan yng nghantref Emlyn. Yn 1109 aeth Nest, gwraig Gerald de Windsor, i wledd Cadwgan, ac roedd hynny'n arwydd o'r cydweithrediad rhyngddo ef a'r Normaniaid. Fodd bynnag, chwalwyd y cytgord yn 1109 pan gipiwyd Nest o Gastell Cenarth Bychan gan Owain ap Cadwgan. Llosgodd y castell a chysgu gyda Nest. Dihangodd Gerald trwy'r twll *latrine* ym muriau'r castell. Mae'n bosib fod rheswm gwleidyddol dros y weithred. Gallai ei berthynas briodasol â Nest fod yn fodd i Gerald hawlio Ceredigion, am ei bod hi'n un o ddisgynyddion Rhys ap Tewdwr.

Roedd y weithred yn drychinebus o safbwynt Cadwgan a'i fab. Ffodd y ddau i Iwerddon yn dilyn ymosodiadau gan Llywarch ap Trahaearn ac eraill. Cafodd Cadwgan ei adfer i Geredigion gan y brenin ar ôl iddo dalu canpunt ac addo na fyddai'n cefnogi Owain. Ond daeth Owain eto i Geredigion, gan ymosod ar y trigolion a dwyn nifer i'w gwerthu fel caethweision. Yna lladdodd Owain un o arweinwyr y Fflemiaid, William o Brabant. Roedd Cadwgan yng nghwmni'r brenin yn 1110 pan ddaeth y newyddion am weithred Owain, a chollodd Cadwgan ei diroedd yn y fan a'r lle. Rhoddwyd tir Ceredigion i Gilbert fitz Richard ei goncro.

Yn 1100 lladdwyd William II gan saeth wrth hela, a hynny mewn amgylchiadau amheus, a chan nad oedd wedi sicrhau aer aeth y goron i'w frawd, Henry. Roedd Henry I yn bedwerydd mab i William Goncwerwr, a bu'n brwydro'n gyson dros diroedd Normandi. Roedd helyntion Cadwgan ap Bleddyn a'i deulu yn ystod y degawd cyntaf pan fu'n rheoli yn boendod iddo. Felly, roedd Henry I yn ddigon parod i gynnig cyfle i arglwydd y goror Clare, Gilbert fitz Richard, ennill tiroedd Cadwgan. Ymgyrchodd hwnnw yng Ngheredigion a chipio'r sir i'r Normaniaid.

Pan adeiladwyd y castell cyntaf ar y safle presennol yn Aberteifi gan Gilbert de Clare yn 1110, sefydlwyd tref o'i gwmpas yn dilyn y drefn *Breteuil* a enwir ar ôl tref yn Normandi. Y *Breteuil* oedd sail y bwrdeistrefi Normanaidd. Deuai'r trigolion o gefndir Normanaidd a gwaharddwyd y Cymry a'r Sacsoniaid rhag cael hawliau masnachu dan y drefn hon.

Adferwyd Cadwgan i goron Powys yn 1111, ond bu farw'n fuan wedi hynny a chafodd Owain goron Powys ar ei ôl. Cafodd Owain faddeuant gan y brenin pan laddwyd Cadwgan a'i frawd Iorwerth gan Madog ap Rhirid, mab eu brawd hynaf. Aeth Owain at y brenin i bledio'i achos ac yna aeth i Normandi yng nghwmni'r brenin. Wedi hynny adferwyd iddo'r hawl i'w diroedd ym Mhowys.

Daeth Gruffudd ap Rhys, mab Rhys ap Tewdwr, yn ôl o'i alltudiaeth yn Iwerddon. Arhosodd am rai blynyddoedd gyda Gerald de Windsor a Nest, a oedd yn chwaer i Gruffudd. Ymosododd ar drigolion Ffleminaidd Blaen-porth, a oedd wedi'i sefydlu yno yn 1116 gan Gilbert fitz Richard. Lladdwyd nifer o'r trigolion a llosgwyd y pentref yn ulw. Wedi hynny, yn ôl y *Brut*, rhuthrodd y brodorion i'w gefnogi 'o ddieflig annogedigaeth', ac ymosod ar Sacsoniaid y sir. Aeth mor bell â Phenweddig, i Gastell Razo, eiddo stiward Gilbert, a lladdodd nifer o'r trigolion a llosgi'r castell. Wedi hynny, ymosododd Gruffudd a'i gefnogwyr ar y castell yn Aberystwyth, ond ni lwyddodd i gipio hwnnw.

Ymateb Henry I oedd gorchymyn i Owain ap Cadwgan a Llywarch ap Trahaearn ymosod ar Gruffudd. Aeth Owain i Ystrad Tywi i chwilio am Gruffudd, gan ymosod ar y trigolion lleol a dilyn rhai ohonynt i Gastell Caerfyrddin. Y tu mewn i'r castell roedd Fflemiaid o Ros, gan gynnwys Gerald de Windsor. Pan glywodd y rhain fod Owain yn agosáu, aeth llu ohonynt ar ei ôl. Lladdwyd Owain yn 1116 a hynny gan y Fflemiaid a oedd am ddial am y ffordd roedd wedi sarhau Gerald de Windsor.

Yn y cyfamser roedd Gilbert fitz Richard wedi atgyfnerthu Castell Llanychaearn yn Aberystwyth a Chastell Aberteifi a chymryd rheolaeth o'r tiroedd eglwysig yng Ngheredigion. Er gwaethaf ymosodiad Gruffudd ap Rhys a'i gynghreiriaid ar Aberystwyth yn 1116, a marwolaeth Gilbert fitz Richard yn 1117, parhaodd rheolaeth y Normaniaid yng Ngheredigion tan 1136, pan laddwyd Richard fitz Gilbert ger Crucywel gan Morgan ab Owain.

Er ein bod yn gyfarwydd â'r cestyll cerrig yn Aberteifi ac Aberystwyth, cestyll tomen a beili wedi eu hadeiladu o bridd a phren oedd y cestyll cyntaf, a'u pwrpas oedd creu canolfannau a fyddai'n rheoli'r cymydau. Yn eu plith roedd Castell Gwilym, Castell Postig, Castell Nant-y-garan a Thomen Rhydowen. Sefydlwyd degau o gestyll eraill drwy'r sir. Ac er mai Normaniaid a adeiladodd y mwyafrif o'r cestyll, addasodd y Cymry hefyd i'r dechnoleg newydd, fel y dengys Caer Pen-rhos ger Llanrhystud.

Ceir cyfeiriadau mewn llawysgrifau at gastell Cymreig o'r enw Abereinion. Yn ei lyfr *Castles of the Welsh Princes*, mae Paul R Davies yn datgan eu bod fwy na thebyg yn cyfeirio at Gastell Aberdyfi, sy'n agos i aber afon Einion yng ngogledd y sir, neu safle ger Llandysul yn y de. Hwyrach fod posibilrwydd mai olion y castell hwn sy'n gorwedd dan orchudd o eithin yng Nghwm Einon, ar y bryniau uwchben Capel Dewi ger ffarm Gwarcoed Einon. Mae cerrig mawr dan yr eithin a byddai'r safle ar y bryniau, heb fod ymhell o hen safle pentref Capel Dewi, yn lle godidog ar gyfer un o gestyll coll y Cymry. Ceir cyfeiriad ato yn *Hanes Plwyf Llandyssul*, sy'n honni:

'Saif uwchben Capel Dewi. Yn ôl *Brut y Tywysogyon* gwnaeth Maelgwn, mab Rhys, ef yn y flwyddyn 1206 O.C. Fe'i gelwir yn bresennol yn Cil-y-Graig, ac nid yw yn awr ond tommen ffossedig.'

Yn dilyn marwolaeth Henry I yn 1135, a'r anghydfod rhwng ei nai, Stephen, a'i ferch, Matilda, daeth cyfle i'r Cymry adennill tir oddi ar y Normaniaid. Yn 1136 daeth ymgyrch o'r gogledd gan Owain a Cadwaladr, meibion Gruffudd ap Cynan, a dinistrio Castell Gwallter, ger Llandre. Ymunodd Hywel ap Maredudd a'i feibion, Maredudd a Rhys, â nhw a llosgi castell Richard de la Mere a chestyll Dineirth a Chaerwedros.

Daeth y ddau frawd o'r gogledd i ymosod ar Geredigion am yr eildro yn 1136, gan arwain byddin o 6,000 o filwyr troed a 2,000 o farchogion. Gyda Gruffudd ap Rhys yn eu plith, unodd y Cymry yn erbyn lluoedd y Normaniaid a'r Fflemiaid yng ngorllewin Cymru ym mrwydr Crug Mawr i'r gogledd o Aberteifi. Daeth y frwydr i ben ar lannau afon Teifi ger Castell Aberteifi. Boddwyd nifer fawr o'r Normaniaid a'r Fflemiaid yn yr afon pan ddymchwelodd y bont bren dan eu pwysau. Collwyd 3,000 o'r dynion, yn ôl y *Brut*. Er i'r Cymry drechu'r Normaniaid a gorchfygu pob castell arall yn y sir, ni chipiwyd Castell Aberteifi a pharhaodd hwnnw'n ganolfan bwysig dan afael y Normaniaid am ddau ddegawd arall.

Bu farw Gruffudd ap Rhys yn 1137, yr un flwyddyn ag yr etifeddodd Owain Gwynedd y goron yng Ngwynedd, yn dilyn marwolaeth ei dad, Gruffudd ap Cynan. Cipiwyd Ceredigion gan Owain Gwynedd yn 1138, gan rannu'r tir rhwng ei fab, Hywel ab Owain, a Cadwaladr, brawd iau Owain. Cafodd Cadwaladr ardal Uwch Aeron a Hywel Is Aeron. Yn ystod y cyfnod hwn newidiodd enw'r castell tomen a beili ger Pontsiân o Gastell Wmffre i Gastell Hywel.

Er iddo gipio Ceredigion, a oedd gynt yn rhan o Ddeheubarth, trefnodd Owain i Anarawd, mab Gruffudd ap Rhys, briodi un o ferched Owain. Yn anffodus i Owain Gwynedd, trefnodd ei frawd, Cadwaladr, lofruddiaeth Anarawd yn 1143, gan arwain at ddrwgdeimlad rhwng Deheubarth a Gwynedd. Cipiodd Hywel ab Owain diroedd Cadwaladr yng Ngheredigion Uwch Aeron a llosgodd Gastell Cadwaladr yn Aberystwyth.

'Yr oedd Meredydd yn arglwydd Ceredigiawn,' medd Carnhuanawc am y cyfnod hwn, a'i frawd, Cadell, yn hawlio tiroedd yn Nyfed a brawd arall, Rhys, yn 'mwynhau arbenicter *Deheubarth*'. Bu'r sir yn gyrchfan i sawl byddin, fodd bynnag, a'r Normaniaid a meibion Owain Gwynedd yn brwydro yno yn 1144. Dywed Carnhuanawc:

'Ac y mae yn debygol fod yr estroniaid wedi llwyddo i adennill rhannau o Geredigiawn, eithr ni chawsant hir feddiant o honynt mewn llonyddwch, canys o gylch yr un amser, sef 1144, *Hywel* a *Chynan*, meibion Owain Gwynedd, a ddugasant fyddin i'r wlad honno ac a'i hennillasant, ar ôl brwydr arwdost, yn yr hon y lladdasant lawer o'r Fflandrysiaid, a'r Ffrancod, a'r Saeson.'

O tua 1150 ymlaen daeth Ceredigion dan ddylanwad y brodyr o'r Deheubarth wrth i feibion Gruffudd ap Rhys adennill Ceredigion Is Aeron. Erbyn diwedd 1151 roedd y brodyr yn rheoli'r rhan fwyaf o Geredigion a chollodd Hywel ab Owain ei diroedd olaf yn y sir, sef cwmwd Penweddig, yn 1153. Yn 1151 anafwyd Cadell yn ddifrifol gan Normaniaid

Dinbych-y-pysgod tra oedd yn hela yng Nghoedrath, ac ymddeolodd i Abaty Ystrad Fflur, lle bu farw yn 1175.

Bu farw Maredudd, arglwydd Ceredigion, o afiechyd yn 1155 a daeth Rhys yn arweinydd Deheubarth yn ei ugeiniau cynnar. Bu'n brwydro am ddegawd wedi hynny, gan sefydlu Castell Tomen Las yn Aberdyfi fel rhan o'i ymgyrch i adfer rheolaeth dros Geredigion, Ystrad Tywi a rhan o Ddyfed.

Pan fu farw Stephen yn 1154 daeth Henry II, mab Matilda, yn frenin ar Loegr gan arwain nifer o ymgyrchoedd yn erbyn y Cymry. Mae traddodiad 'Sul Coch y Mwnt' sy'n dyddio o 1155 yn cofnodi buddugoliaeth y Cymry yn erbyn llu o Fflemiaid a oedd wedi glanio o'r môr. Roedd y Fflemiaid yn elfen ethnig arall o'r cyfnod hwn, gydag enwau fel Nantfflyman a Blaenfflyman yn adlewyrchu eu dylanwad. Ceir Castell Flemish hefyd ger Tregaron, a sefydlwyd Blaenporth gan y Fflemiaid, er i Gruffudd ap Rhys losgi'r pentref yn 1116.

Rhwng 1157 ac 1162 bu Rhys yn brwydro'n gyson yn erbyn lluoedd Henry II ac Owain Gwynedd. Ymosododd brenin Lloegr ar Ddeheubarth ddwywaith yn 1158 ac eto yn 1159 ac 1163. Ar bob achlysur ildiodd Rhys i'r goron cyn ailgychwyn ei ymgyrchoedd ar ôl i'r brenin ymadael, ond yn 1163 cafodd ei ddal a'i ddwyn i Loegr yn garcharor. Bu'n rhaid iddo dalu gwrogaeth a chydnabod gorarglwyddiaeth Henry II yn Woodstock ar 1 Gorffennaf 1163. Cafodd ei ryddhau a rhoddwyd iddo'r hawl i diroedd Cantref Mawr, gan gynnwys Dinefwr, ond rhannwyd gweddill ei diroedd rhwng yr arglwyddi Eingl-Normanaidd.

Yn 1164 ailgipiodd Rhys Geredigion a dinistrio cestyll Aber-rheidiol a Mabwynion. Y flwyddyn cynt cafodd ei benteulu, Einion ab Anarawd, ei lofruddio dan orchymyn Roger de Clare, yr arglwydd a hawliodd Geredigion tra oedd

Rhys yn nwylo'r brenin. Teimlai Rhys fod anallu'r brenin i warchod ei deulu wedi ei ryddhau o unrhyw gytundeb.

Yn 1165 daeth cynghrair o dywysogion Cymreig ynghyd yng Nghorwen i wynebu lluoedd brenin Lloegr. Daeth Henry II â byddin fawr yn eu herbyn gyda'r bwriad o drechu'r tywysogion unwaith ac am byth. Ond daeth tywydd gwael i rwystro'i fyddin ar fynyddoedd y Berwyn, ac o ganlyniad i hynny a'r dirwedd arw a thactegau *guerilla* y Cymry, bu'n rhaid i'r brenin a'i fyddin ffoi am Loegr. Yn ei dymer, ar ôl ei fethiant, dallodd Henry ddau o feibion Rhys, sef Cynwrig a Maredudd. Cipiodd Rhys gestyll Aberteifi a Chilgerran tua 1165, gan amddiffyn Cilgerran yn erbyn llu o Normaniaid a Fflemiaid Penfro yn 1166. Ymysg y milwyr o Geredigion a fu'n brwydro yng Nghorwen roedd Cadifor ap Dinawal. Yn ôl *Hanes Plwyf Llandyssul*:

'Dyma'r amser yr enillodd Cadifor enwogrwydd: yr oedd yn Berwyn, ac ar ôl dychwelyd i'r Deheudir, ymosododd o dan ei gefnder ar Gastell Aberteifi, a chymerodd ef oddiar Iarll Clare. Am hyn cafodd ei anrhydeddu a'r arf-bais a wisgir hyd heddiw gan ei olyniaid âchyddol yng Ngheredigion, a chrewyd ef gan ei Dywysog yn Arglwydd Castell-hywel, Pantstreimon a'r Gilfachwen; a chafodd Catherine, merch y tywysog, yn wraig.'

Wedi hynny, bu Ceredigion yng ngafael Rhys hyd ddiwedd ei oes yn 1197, gan sefydlu gwladwriaeth gadarn olaf Cymry Deheubarth. Bu'n brwydro ar y cyd ag Owain Gwynedd yn 1166 ac 1167, a chipiodd Gastell Tafolwern ac arglwyddiaeth Cyfeiliog a'i galluogodd i sicrhau ei afael dros diroedd y de-orllewin.

Yn 1170 roedd sefyllfa Henry II yn Lloegr yn fregus ar ôl i'w ddilynwyr ladd yr archesgob Thomas Becket. Bu farw Owain Gwynedd yr un flwyddyn a lladdwyd ei fab, Hywel ab

Owain, ym mrwydr Pentraeth ar Ynys Môn gan ei hanner brodyr, Dafydd a Rhodri. Wedi hynny bu'r deyrnas yng Ngwynedd yn afreolus am bron i dri degawd tan i Llywelyn ap Iorwerth sefydlu ei hun ar ddechrau'r 13eg ganrif. Sylweddolodd Henry yn fuan fod ei ymgyrchoedd yng Nghymru yn aflwyddiannus a dechreuodd ofni nerth cynyddol arglwyddi'r gororau, gan ddilyn eu llwyddiant yn sefydlu arglwyddiaethau yn Iwerddon. Penderfynodd Henry II gyfaddawu â Rhys, ac yn hydref 1171 aeth i'w gyfarfod ym Mhenfro a chadarnhau hawliau Rhys i'w diroedd yn Neheubarth.

O ganlyniad i'w gytundeb gyda Henry II daeth yr Arglwydd Rhys yn frenin sefydlog Deheubarth. Rhyddhawyd Hywel Sais, mab Rhys, a fu'n wystl i'r brenin ers 1163, a bu dau ddegawd o heddwch rhwng Rhys a choron Lloegr. Bu'n teyrnasu dros frenhinoedd Cymreig eraill de Cymru, yn sicr o gefnogaeth y brenin yn erbyn arglwyddi Eingl-Normanaidd y gororau. Aeth Hywel Sais i gyrchu gyda'r brenin yn Ffrainc yn 1173–1174. Rhwng 1175 ac 1185 cyfarfu'r ddau frenin ar bedwar achlysur. Priododd Rhys â Gwenllian, merch Madog ap Maredudd, brenin Powys, a chafodd bymtheg o blant, y mwyafrif y tu allan i'r briodas. Dywed y *Brut* fod Rhys wedi cael mab gyda merch Maredudd ap Gruffudd, ei frawd, yn 1173.

Bu'r Arglwydd Rhys yn brysur yn adeiladu cestyll, ac adeiladodd gastell cerrig yn Aberteifi yn 1171, lle cynhaliwyd yr 'eisteddfod gyntaf' yn 1176. Bu'n weithgar yn cefnogi mudiadau crefyddol, gan gynnwys bod yn hael ei roddion i Abaty Ystrad Fflur, a sefydlodd unig leiandy Ceredigion yn Llanllŷr yn Nyffryn Aeron.

Roedd cysylltiadau Rhys â theyrnasoedd eraill y de yn atgyfnerthu ei safle fel arweinydd Deheubarth. Priododd

Einion Clud o Elfael ac Einion ap Rhys o Gwerthrynion â'i ferched ac roedd Cadwallon ap Madog o Faelienydd yn gefnder iddo. Ymysg ei neiaint roedd Morgan ap Caradog o Afan, Seisyll ap Dyfnwal o Went Uwch Coed a Gruffudd ab Ifor o Senghennydd.

Pan fu farw Henry II yn 1189 daeth diwedd i'r cyfamod cynt a bu anghydfod rhwng Rhys a Richard I. Ym mlynyddoedd olaf ei deyrnasiad bu Rhys unwaith eto'n ymosod ar diroedd a chestyll y goron a'r gororau yn ne Cymru, ac ym Medi 1189 arweiniodd John, brawd y brenin, ymgyrch yn erbyn Rhys. Aeth Rhys gyda John i Rydychen i weld y brenin, ond gwrthododd y brenin ei weld am ei fod yn paratoi ar gyfer cyrch arall yn y Dwyrain Canol.

Aeth Rhys yn ôl i Gymru i geisio sicrhau ei olyniaeth. Yn 1189 bu'n rhaid iddo garcharu Maelgwn, ei fab hynaf ond anghyfreithlon, a hynny mewn ymdrech i sicrhau etifeddiaeth Gruffudd, ei fab hynaf cyfreithlon. Ymosododd ar Gantref Gwarthaf, Cydweli, Gŵyr a Rhos gan gipio Carnwyllion, Sanclêr, Talacharn a Llansteffan yn 1189. Erbyn 1192 roedd wedi adeiladu castell yng Nghydweli ac wedi cipio Nanhyfer, Llawhaden ac Abertawe, o bosib.

Dihangodd Maelgwn, ac yn 1194 carcharodd ef a rhai o'i frodyr eu tad yng Nghastell Nanhyfer. Wedi iddo gael ei ryddhau gan ei fab, Hywel Sais, ceisiodd Rhys adfer undod ymysg ei feibion cythryblus trwy ymosod eto ar yr arglwyddi Eingl-Normanaidd. Cipiwyd Wiston ac Ystrad Meurig gan Hywel a Maelgwn yn 1193, ac yn 1196 cipiodd Rhys Gaerfyrddin, Colwyn, Maesyfed a Chastell-paen.

Yn 1196, ac yntau'n 64 oed, aeth ar ei ymgyrch olaf, gan losgi Caerfyrddin, trechu Roger Mortimer a chipio Castell-paen. Bu farw'n 65 oed ar 28 Ebrill 1197. Er iddo adfer teyrnas Deheubarth i'r bri a sefydlwyd gan ei daid, Rhys ap Tewdwr, chwalwyd undod Deheubarth yn dilyn ei farwolaeth. Yn y ganrif ar ôl ei farwolaeth daeth Deheubarth a Cheredigion dan ddylanwad Gwynedd a'r Normaniaid, heb yr un arweinydd brodorol cryf.

Serch hynny, roedd y system weinyddol Gymreig yn parhau ac mae'n ddigon posib mai'r Arglwydd Rhys oedd wedi cydlynu a chyhoeddi Cyfreithiau Hywel Dda, a hynny fel modd o gyfiawnhau ei achau brenhinol a cheisio sicrhau parhad y drefn Gymreig yn Neheubarth. Roedd Rhys hefyd yn dilyn polisi o gyfathrach â'r Normaniaid, gan greu Deheubarth cosmopolitan dan ddylanwadau Normanaidd. Priododd ei fab, Gruffudd, â Matilda de Braose yn 1189, a'i ferch, Angharad, â William fitz Martin o Gemais o gwmpas 1191. Mabwysiadodd y traddodiad Normanaidd o wahardd meibion llwyn a pherth rhag etifeddu, ac roedd ei 'eisteddfod gyntaf' yn Aberteifi yn 1176 yn dangos dylanwad y *puys* Ffrengig, yn enwedig dylanwad llys Eleanor o Aquitaine.

Daeth newidiadau yn y gymdeithas Gymreig wrth i'r Cymry addasu i adeiladu cestyll. Ymysg y rhain mae Castell Newydd Emlyn a adeiladwyd gan Maredudd ap Rhys. Sefydlwyd castell yn Nhrefilan ar lannau afon Aeron yn y 13eg ganrif gan ei frawd, Maelgwn ap Rhys, a'i fab yntau, Maelgwn Fychan.

Ym myd crefydd daeth dylanwad y mynachod o'r cyfandir, wrth i'r Normaniaid weithio i drawsnewid y gymdeithas grefyddol oedd yn estron iddynt, yn enwedig y traddodiad lle roedd dynion sanctaidd yn priodi. Daeth y mynachod du Benedictaidd i Aberteifi a Llanbadarn Fawr, gan ddilyn y patrwm o gyd-sefydlu cestyll a thai crefyddol, a oedd mor ganolog i feddylfryd y Normaniaid. Ymgartrefodd Sistersiaid o Clairvaux yn Hendy-gwyn yn 1140, ac ymhen amser daeth cryn dipyn o dir Ceredigion i'w meddiant. Gyda'r

mynachod daeth datblygiadau cymdeithasol, fel ffarmio defaid ar raddfa fawr, cynhyrchu gwlân a chloddio glo yn ogystal â ffrwythloni tir a fu gynt yn anial.

Yn 1164 sefydlwyd abaty cyntaf Ystrad Fflur gan fynachod Hendy-gwyn. Robert fitz Stephen a gefnogodd sefydliad yr abaty gwreiddiol ar lannau afon Fflur, ond datblygodd ei bwysigrwydd o safbwynt y Cymry yn dilyn Siarter yr Arglwydd Rhys yn 1184, a symudodd yr adeilad sanctaidd i'r lleoliad newydd ar lannau afon Teifi ger Pontrhydfendigaid. Daeth rhai o'r cerrig ar gyfer yr abaty newydd dros y môr o Wlad yr Haf i Aberarth, a oedd yn rhan o roddion yr Arglwydd Rhys ar gyfer tir y mynachod.

Roedd pwyslais y 'mynachod gwyn' ar fywyd syml a gwaith caled yn apelio at y Cymry. Roeddynt yn weithgar yn datblygu ffarmio defaid ar yr ucheldir, yn plannu barlys a cheirch ar y tir isel ac yn pysgota ar hyd yr arfordir. Gwelir eu dylanwad hyd heddiw ar yr arfordir rhwng Aberaeron ac Aberarth. Pan fydd y llanw'n isel gellir gweld olion y goredau i ddal pysgod môr.

Roedd y mynachlogydd hyn yn dirfeddianwyr o fri erbyn 1282 gyda thiroedd y tu hwnt i'r sir yn Nant-y-bai, Cwmdeuddwr ac mor bell ag Abermiwl, yn ogystal â thiroedd helaeth yng Ngheredigion – yng Nghwmystwyth, Mefenydd, Blaen Aeron a Phennardd – a hefyd ddarnau helaeth o'r tir arfordirol ym Morfa Mawr, Anhuniog a Morfa Bychan. Ystrad Fflur oedd yn dal yr hawl i diroedd Hafodwen a Thir Newydd i'r de o leiandy Llanllŷr. Roedd Hendy-gwyn yn berchen ar dir sylweddol yn y sir hefyd, gan gynnwys Cregeirth i'r gogledd o Geinewydd a thiroedd ffrwythlon Rhuddlan Teifi ar lannau gogleddol afon Teifi.

Daeth Abaty Ystrad Fflur yn sefydliad canolog ym mywyd trigolion Ceredigion. Roedd gerddi, perllannau a thir ffarm o gwmpas y fynachlog, a gosodwyd cyfran helaeth o'i thiroedd yn nwylo tenantiaid lleol a oedd yn talu rhent i'r abaty. Roedd y rhain yn magu defaid a chynhyrchu gwlân, yn magu moch, ieir ac wyau a thyfu ŷd. Roedd dyletswydd arnynt hefyd i gefnogi gwaith y fynachlog. Roedd rhai'n gweithio ar ffarm y fynachlog, tra oedd deiliaid Doferchen, i'r gogledd o Lanbadarn, yn gyfrifol am gludo haearn a halen o Aberystwyth i Ystrad Fflur neu ble bynnag roedd ei angen. Deiliaid Cwmystwyth oedd yn gyfrifol am gludo deunyddiau ar gyfer cyweirio'r fynachlog, a threuliwyd hanner can mlynedd yn adeiladu'r abaty ei hun.

Cynhyrchwyd gwlân yng Nghwmystwyth, ac ar y tir isel ym Morfa Mawr, Anhuniog a Blaen Aeron tyfwyd ŷd. Y mynachod hefyd oedd yn cynnal y farchnad yn Ffair-rhos, a chafodd y tenantiaid hawl i werthu nwyddau yn y ffair ar yr amod eu bod yn talu tollau i'r abaty. Gwartheg, gwlân a defaid oedd y prif gynhyrchion a oedd ar gael yn y ffair ac roedd honno'n denu tyrfaoedd mawr o'r ardal leol.

Sefydlwyd system eglwysig ganolog, yn ateb i'r archesgob yng Nghaergaint, a daeth Tyddewi yn rhan o'r drefn newydd yn 1115. Disodlwyd hen drefn y *clas* teuluol. Yn yr un modd â'r cestyll, adeiladwyd eglwysi newydd o gerrig, a chodwyd eglwys gerrig yn Llandysul yn y 13eg ganrif.

Credir mai yn Ystrad Fflur y cafodd *Brut y Tywysogyon* ei ysgrifennu. Yn Lladin yr ysgrifennwyd y gwreiddiol, a hynny tua diwedd y 13eg ganrif, ond rydyn ni'n dibynnu ar dair fersiwn a gyfieithwyd i'r Gymraeg o'r Lladin gwreiddiol coll, ac mae'r rheiny'n perthyn i'r 14eg a'r 15fed ganrif. Mae'n gofnod anhygoel sy'n cychwyn yn 680 OC ac yn gorffen yn 1282. Mae'n gwneud synnwyr mai yn Ystrad Fflur y cafodd ei greu, gan fod y testun wedi ei ysgrifennu o safbwynt teyrnas Deheubarth, ond yn cynnwys cyfeiriadau at deyrnasoedd Cymreig ac Ewropeaidd eraill. Daw'r cyfeiriad cyntaf at Geredigion yn 807 ac mae hwnnw'n sôn am farwolaeth y Brenin Arthen:

'Ac yna y bu varw Arthen, vrenhin Keredigyawn. Ac y bu diffyc ar yr heul.'

Cawn gipolwg hefyd o Gymru yn y cyfnod hwnnw mewn dau lyfr a ysgrifennwyd gan Gerallt Gymro, neu Giraldus Cambrensis, perthynas i'r Arglwydd Rhys. Fe'i ganwyd o gwmpas 1145 yn Maenorbŷr, Sir Benfro, yn fab i'r marchog William de Barri ac Angharad, merch Nest, merch Rhys ap Tewdwr. Yn 1188 aeth Gerallt Gymro ar gyrch o gwmpas Cymru er mwyn annog y Cymry i gefnogi Rhyfel y Groes, ac ysgrifennodd gofnod o'i daith yn Lladin, sef *Y Daith Trwy Gymru.*

Mae'n disgrifio afon Teifi fel afon nobl ac ynddi well eog nag unrhyw afon arall yng Nghymru, ac fe nodir hefyd fod yr afon, bryd hynny, yn gartref i'r llostlydan. Yn Llanbadarn Fawr mae'n feirniadol o'r sefyllfa grefyddol, gan nodi nad oedd abad yno ond bod dyn cyffredin yn ei le, sef Ednywain ap Gweithfoed, a'i feibion yn gweinyddu wrth yr allor. Mae'r llyfr *Y Disgrifiad o Gymru* yn cynnwys ei nodiadau ar achau'r teuluoedd brenhinol, tirlun y wlad a'i farn am gryfderau a gwendidau'r Cymry, gan gynnwys cyngor ar sut i goncro a rheoli'r bobol.

Fel Ceredigion gynt ers amser Gwgon, daeth diwedd ar annibyniaeth Deheubarth pan fu farw'r Arglwydd Rhys yn 1197. Gruffudd oedd mab hynaf cyfreithlon Rhys, a'r etifedd yn llygaid ei dad. Roedd Maelgwn, y mab anghyfreithlon, yn hŷn ac yn anfodlon â'r trefniant. Yn 1188 bu'r ddau'n cweryla, gyda'r naill yn awyddus i'r llall fynd i Ryfel y Groes. Carcharwyd Maelgwn gan Rhys a Gruffudd yn 1189, ond dihangodd Maelgwn yn 1192.

Yn 1193 cipiodd Maelgwn gastell pwysig Ystradmeurig. Ceredigion oedd canolfan gefnogaeth Maelgwn, tra oedd Gruffudd yn gryf yn Ystrad Tywi. Ymosododd Maelgwn ar Gastell Aberystwyth yn 1197, gan gipio Gruffudd a Cheredigion ar yr un pryd. Er i Rhys drefnu gyda'r Brenin Richard I mai Gruffudd fyddai ei aer, trosglwyddodd Maelgwn ei frawd, Gruffudd, i'r Brenin Richard fel carcharor.

Roedd Maelgwn yn ceisio sicrhau cefnogaeth coron Lloegr, ond oherwydd bod Richard I yn anfodlon â'r cyfamod rhwng Gwenwynwyn o Bowys a Maelgwn, rhyddhawyd Gruffudd yn 1198 a chipiodd yntau Geredigion, ar wahân i Aberteifi ac Ystrad Meurig. Roedd y Brenin John wedi cydnabod Gruffudd yn 1199 ac 1200, ond yna rhoddodd ei gefnogaeth i Maelgwn, a phan fethodd Maelgwn â sefydlu ei hun rhoddodd John yr hawl i William de Braose gipio unrhyw diroedd a allai oddi ar y Cymry yn 1202.

Yn 1200, yng nghanol y brwydro teuluol, gwerthodd Maelgwn Gastell Aberteifi i'r Brenin John ar ôl i hwnnw gael ei goroni yn 1199. Cafodd Maelgwn Geredigion gyfan, ar wahân i hanner cwmwd Iscoed Is Hirwern, a chafodd yr hawl i gestyll Cilgerran ac Emlyn. Daeth ei afael yn fwy cadarn wedi marwolaeth Gruffudd yn Abaty Ystrad Fflur yn 1201. Rhwng 1203 ac 1206, gyda chefnogaeth Powys, ymosododd Maelgwn ar Langadog a Llanymddyfri ac adeiladodd gestyll yn Abereinion a Dineirth. Serch hynny, roedd meibion Gruffudd, Rhys Ieuanc ac Owain, yn brwydro yn ei erbyn a bu'r ddau hyn hefyd yn brwydro yn erbyn Rhys Gryg rhwng 1208 ac 1210.

Pan garcharwyd Gwenwynwyn gan y Brenin John yn 1208, daeth safle Maelgwn yn fwy bregus wrth i Llywelyn gipio Powys Wenwynwyn. Yn 1203 roedd Maelgwn ei hun wedi dymchwel Ystradmeurig, rhag ofn iddo syrthio i ddwylo Llywelyn ap Iorwerth o Wynedd. Methodd William de Braose â sefydlu ei hun yng Ngheredigion, a pharhaodd y brwydro. Collodd De Braose gefnogaeth y brenin yn 1207 a daeth Falkes de Breauté, siryf Caerdydd, i gymryd ei le. Danfonwyd hwnnw i Ddeheubarth yn 1211 gyda gorchymyn i sicrhau bod Rhys Ieuanc ac Owain ap Gruffudd yn ufuddhau i'r brenin. Aeth Rhys Gryg a Maelgwn i Geredigion gyda Falkes i ymgyrchu yn erbyn y ddau frawd, ac ildiodd Rhys Ieuanc ac Owain Geredigion Uwch Aeron i rym y brenin.

Ceisiodd John sefydlu castell brenhinol yn Aberystwyth yn 1211, ond cafodd hwnnw ei losgi gan y Cymry. Yn yr un cyfnod cefnogwyd meibion Gruffudd yn erbyn Rhys Gryg gan Falkes de Breauté ac Ingelard de Cicogné, siryf Henffordd, gan orfodi Rhys Gryg i ildio Castell Llanymddyfri. Hawliodd hwnnw loches gan Maelgwn, ond cafodd ei garcharu gan swyddogion y brenin a throsglwyddwyd ei diroedd i Rhys Ieuanc.

Mewn cynhadledd yn Aberdyfi yn 1216 cafodd tiroedd Deheubarth eu rhannu rhwng disgynyddion yr Arglwydd Rhys. Cafodd ei fab, Rhys Gryg, ran helaeth o Ystrad Tywi, gan gynnwys Castell Dinefwr. Cafodd Maelgwn Gantref Gwarthaf, Cemais, Peuliniog ac Emlyn yn Nyfed; Castell Cilgerran, Castell Llanymddyfri a dau gwmwd yn Ystrad Tywi; a chymydau Gwynionydd a Mabwynion yng Ngheredigion. Etifeddodd Rhys Ieuanc ac Owain ap Gruffudd gestyll Aberteifi a Nantyrarian a gweddill Ceredigion.

Unwaith eto roedd y rhan fwyaf o diroedd Ceredigion dan arglwyddiaeth Cymry, ond arglwyddi lleol yn unig oedd y rhain, a hynny dan nawdd Llywelyn. I danlinellu hyn dinistriodd Llywelyn gastell Rhys Ieuanc yn Aberystwyth yn 1221. Aeth pethau o ddrwg i waeth i'r Brenin John yn 1216 pan ymosododd Louis, mab hynaf brenin Ffrainc, ar Loegr. Ffodd John i'r gororau yn sgil hynny. Yn dilyn marwolaeth John yn Newark yn 1216, daeth coron Lloegr i feddiant Henry III, a hwnnw'n grwt naw mlwydd oed. Bu coron Lloegr dan fygythiad Ffrainc trwy gydol 1216 ac 1217, ond ciliodd lluoedd Louis ar ôl cael eu talu a bu'n rhaid i Henry III gydnabod hawliau'r Ieirll a'r Barwniaid.

Yn 1218 ildiodd Llywelyn yr hawl i gestyll Aberteifi a Chaerfyrddin a'u trosglwyddo i'r goron, er y byddai Llywelyn yn cadw rheolaeth o'r cestyll tan fod y brenin ifanc yn cyrraedd oedran etifeddu. Cafodd Llywelyn ei gydnabod yn Dywysog Cymru yng Nghaerwrangon a chafodd diroedd Powys yn dilyn marwolaeth Gwenwynwyn. Yn 1221 cododd Rhys Ieuanc yn erbyn Llywelyn, gyda chefnogaeth William Marshal o Benfro, a hynny am fod Rhys wedi colli ei hawl i Gastell Aberteifi. Daeth Llywelyn i Aberystwyth a chipio'r castell yno, ond ochrodd brenin Lloegr gyda Rhys a'i hawl i Aberteifi. Bu farw Rhys yn 1222 a chafodd ei diroedd eu rhannu rhwng ei frawd, Owain, a'i wncwl, Maelgwn ap Rhys. Yn yr un flwyddyn roedd William Marshal wedi hwylio i Iwerddon, a daeth yn ôl yn 1223 gan ymosod ar Aberteifi dros y Pasg a chipio'r castell.

Bu farw Maelgwn ap Rhys yn Llannerch Aeron yn 1231. Yr un flwyddyn, dinistriwyd Castell Aberteifi gan Maelgwn Fychan, mab Maelgwn ap Rhys, a lladdwyd y bwrdeisiaid a dinistrio'r bont i Gemais gyda chefnogaeth ei gefnder, Owain ap Gruffudd, a Llywelyn ap Iorwerth. Ond dair blynedd wedi hynny roedd y safle yn ôl dan afael y Normaniaid ac ailadeiladwyd y castell cerrig yn 1240. Roedd Aberteifi yn dal dan afael y Normaniaid, yn gyntaf dan William Marshal, yna'r goron ac, yn olaf, yng ngofal Hubert de Burgh, Iarll cyntaf Caint.

Bu cydweithio rhwng Owain ap Gruffudd a brenin Lloegr yn erbyn Richard Marshal, Iarll Penfro, yn 1233, ac yn yr un flwyddyn cwblhaodd Maelgwn Fychan y castell yn Nhrefilan. Bu farw Owain ap Gruffudd yn 1235. Yn 1238 casglodd Llywelyn nifer o arweinyddion Cymru at ei gilydd yn Ystrad Fflur er mwyn ceisio sicrhau etifeddiaeth ei fab, Dafydd. Ond ofer fu ei ymdrechion.

Yn 1240 aeth Walter Marshal i Aberteifi er mwyn atgyfnerthu'r castell. Bu Ceredigion dan reolaeth coron Lloegr tan 1256, pan ddaeth o dan ddylanwad Llywelyn ap Gruffudd. Rhoddwyd tiroedd y brenin yn y sir i Maredudd ab Owain, a gweddill y tiroedd i Maredudd ap Rhys Gryg.

Er i Aberteifi newid o'r naill law i'r llall rhwng y Cymry a'r Normaniaid yn ystod y cyfnod cythryblus hwn, arhosodd naw a hanner o gymydau Ceredigion yn nwylo'r Cymry trwy gydol brenhiniaeth Llywelyn Ein Llyw Olaf. Pan drechwyd lluoedd Llywelyn yn 1277, roedd llinach yr Arglwydd Rhys yn rhy wan i gynnig gwrthwynebiad digonol yn erbyn lluoedd Lloegr. O linach Deheubarth dim ond Rhys ap Maelgwn a wrthododd gydnabod Edward I yn arglwydd newydd iddo, a ffodd i Wynedd. Yn yr un flwyddyn daeth Edmund, brawd Edward I, i Aberystwyth ac adeiladodd y castell ar lannau afon Rheidol. Erbyn 1280 roedd tua hanner can erw o dir Aberystwyth wedi'u hamgylchynu gan furiau.

Ymosododd y Cymry ar Gastell Aberystwyth yn 1282. Cynigiodd Gruffudd ap Maredudd bryd o fwyd i'r Cwnstabl, Bogo de Knoxville, a chafodd hwnnw ei ddal ar ôl derbyn y gwahoddiad. Roedd Gruffudd a'i frawd, Cynan, wedi lleoli eu hunain yn Nhrefilan a chododd y ddau yn erbyn Rhys Fychan, a oedd yn gweinyddu cymydau'r gogledd ar ran y brenin. Llwyddodd Gruffudd a Cynan i yrru eu gelynion yn ôl i Ddinefwr ac Aberteifi, ond ni chipiwyd Aberteifi a daeth y gwrthryfel hwn i ben yn dilyn marwolaeth Llywelyn yn Rhagfyr 1282.

Erbyn Ionawr 1283 roedd Roger de Mortimer yn gwnstabl ar Gastell Aberystwyth ac ildiodd Cynan. Dihangodd Gruffudd i ymuno â Dafydd ap Llywelyn yng Ngwynedd, ond erbyn Mehefin roedd yntau hefyd wedi ildio. Cafodd eu tiroedd nhw eu trosglwyddo i Rhys ap Maredudd, eu cefnder, yr unig un o'r teulu a gefnogodd goron Lloegr yn erbyn llys Aberffraw.

Roedd un arglwydd brodorol arall yn weddill, sef Llywelyn ab Owain. Roedd e'n llanc ifanc ar y pryd a chafodd yr hawl i'w dir yn ne Ceredigion, a'r hawl hefyd i gynnal marchnad a ffair yn Llandysul. O'i etifeddiaeth yntau o'r tir hwn, yng nghymydau Gwynionydd ac Iscoed, y byddai Owain Glyndŵr yn olrhain ei linach fel disgynnydd i Lys Deheubarth.

Cododd un arall o ddisgynyddion yr Arglwydd Rhys yn erbyn y drefn newydd yn 1287, sef Rhys ap Maredudd, a oedd wedi etifeddu tiroedd ei berthnasau yng Ngheredigion o ganlyniad i'w deyrngarwch i goron Lloegr yn 1277 ac 1282. Roedd yn fab i Maredudd ap Rhys Gryg, a fu'n arglwydd Dryslwyn, ac Isabel, merch William Marshal, Iarll Penfro. Ei dad, Maredudd ap Rhys Gryg, oedd yr unig arglwydd Cymreig i wrthod cydnabod Llywelyn ap Gruffudd yn 1267. Penderfynodd dyngu llw i Henry III bryd hynny, ond fe werthodd Henry yr hawl i'w lw i Lywelyn yn 1270, gan gythruddo Maredudd.

Etifeddodd Rhys ap Maredudd diroedd ei dad a'i atgasedd tuag at goron Lloegr a choron Aberffraw. Er hynny, pan oedd Edward I yn ymgyrchu yn erbyn Llywelyn yn 1276 bu Rhys yn deyrngar i goron Lloegr. Daeth i gytundeb ag Edward I yn 1277 ac addawyd iddo y byddai'n cael Castell Dinefwr a thiroedd ei berthynas, Rhys Wyndod, yn Ystrad Tywi am ei deyrngarwch

i'r brenin. Fodd bynnag, tyngodd Rhys Wyndod hefyd ei deyrngarwch i'r brenin, gan gadw rhai o'i diroedd, ac fe gipiwyd Castell Dinefwr gan Payn de Chaworth, is-gapten i'r brenin, a rhwystrwyd dyhead Rhys ap Maredudd i reoli Ystrad Tywi. Mynnodd De Chaworth hefyd fod ganddo hawl y brenin i gael mynediad i Gastell Dryslwyn, a bu'n rhaid i Rhys ildio i gyfraith yr ustusiaid brenhinol yng Nghaerfyrddin. Er hyn oll, parhaodd Rhys yn ufudd i goron Lloegr.

Pan ddaeth y rhyfel yn 1282 bu Rhys yn deyrngar eto i goron Lloegr, ac addawyd iddo dir a Chastell Dinefwr petai'n cefnogi'r brenin. Pan ddaeth diwedd ar wrthryfel Llywelyn, cafodd Rhys dir yng Ngheredigion yn ogystal â thiroedd Rhys Wyndod. Bu hefyd yn derbyn gwŷr o Gymru i heddwch Edward, fel cynrychiolydd y brenin. Ond pan ddeallodd Edward fod Rhys eisoes wedi meddiannu'r tiroedd, gorchmynnodd i'r tiroedd hynny gael eu cipio, ac fe arestiwyd Rhys ap Maredudd.

Cafodd y tiroedd eu hadfer i Rhys yn Hydref 1283 ond bu'n rhaid iddo ildio unrhyw hawliau i Gastell Dinefwr. Erbyn Medi 1286 roedd Rhys wedi gwylltio, yn dilyn ymddygiad gormesol *justiciar* brenhinol gorllewin Cymru, Robert Tiptoft. Roedd Rhys yn arglwydd ar gwmwd Emlyn ar lannau deheuol afon Teifi, lle roedd ei dad wedi adeiladu'r castell newydd yn Emlyn. Mynnodd nad oedd raid iddo ddilyn cyfarwyddyd y *justiciar* yng Nghaerfyrddin ond, yn hytrach, y dylai fod ganddo'r hawl i fynychu llys sirol Penfro. Roedd y brenin yn ymddangos yn barod i wrando ar ei gŵynion, ond erbyn hyn roedd Rhys wedi cael hen ddigon. Yn hytrach nag ymddangos o flaen y *justiciar*, ymosododd Rhys ar gestyll Dinefwr, Castell Cennen a Llanymddyfri. Gyda'r brenin yn ymgyrchu yn Ffrainc, daeth gorchymyn i Edmund, Iarll Cernyw, atal y gwrthryfel a chipio eiddo Rhys.

Yn Awst 1287 daeth byddin enfawr o 25,000 o ddynion i Gaerfyrddin, gan deithio i Ddryslwyn cydag offer gwarchae o Fryste. Yn ystod tair wythnos o warchae, cloddiwyd dan gapel y castell a syrthiodd y to, gan ladd rhai o brif arweinwyr yr ymosodwyr. Er i'r mwyafrif o'i ddilynwyr ildio, dihangodd Rhys ap Maredudd, gan ffoi i Gastell Newydd. Erbyn Medi 1287 roedd Castell Newydd hefyd wedi ildio i'r goron, ond dihangodd Rhys. Yn Nhachwedd 1287 ymosododd Rhys ar Gastell Newydd a chipio'r castell yn ôl. Aeth ymlaen i reibio Llanymddyfri ddyddiau wedi hynny. Erbyn Rhagfyr cafwyd ymgais arall i gipio Castell Newydd ar ran y goron, a llusgwyd yr offer gwarchae o Ddryslwyn. Ymhen deg diwrnod roedd y Cymry wedi ildio'r castell am y tro olaf a bu'n rhaid i Rhys ddianc unwaith eto.

Ffodd Rhys i Iwerddon, gyda phris o gan punt ar ei ben, ond daeth yn ôl i Ddeheubarth yn 1290. Bu'n rhydd tan Ebrill 1292, pan gafodd ei fradychu gan ei ddynion ei hun yn Ystrad Tywi. Fe'i danfonwyd at Edward I yng Nghaerefrog a'i gael yn euog o lofruddiaeth, llosgi bwriadol, lladrata a dinistrio cestyll brenhinol. Fe'i crogwyd ar 2 Mehefin. Yn ôl Carnhuanawc, 'yr hwn yn mhen ychydig amser a ddihenyddiwyd yn *Berwick,* trwy ei lusgo wrth gynffonau ceffylau, ac ar ol hynny ei grogi, a'i dori yn bedwar darn'.

Doedd fawr o gefnogaeth i Rhys ap Maredudd ymhlith dynion Ceredigion oherwydd iddo ochri gyda choron Lloegr yn ystod rhyfeloedd Llywelyn, pan oedd ei berthnasau wedi brwydro yn erbyn coron Lloegr. O blith gweddill llinach Deheubarth carcharwyd Rhys Wyndod, Arglwydd Dinefwr, a Rhys Fychan, Arglwydd gogledd Ceredigion, yn 1283 a lladdwyd Maelgwn, mab Rhys Fychan, yn ystod gwrthryfel Madog ap Llywelyn o linach Gwynedd yn 1294.

Yn ystod yr wyth canrif ers ei sefydlu, bu 'gwlad' Ceredigion yn rhan o Seisyllwg, yn rhan o Ddeheubarth ac yn wlad dan reolaeth Gwynedd, Powys ac arglwyddi Normanaidd a Chymreig. Nawr roedd hi'n sir dan reolaeth coron Lloegr.

Sadwrn Barlys, Aberteifi, 2013.
Dathlu'r 'eisteddfod gyntaf' a gynhaliwyd gan yr Arglwydd Rhys yn 1176. Mae Sadwrn Barlys yn rhan bwysig o'r flwyddyn amaethyddol yn yr ardal ers canol y 19eg ganrif.

Barley Saturday, Cardigan, 2013.
Celebrating the 'first eisteddfod' which was hosted by Lord Rhys in 1176. Barley Saturday has been an important part of the area's agricultural year since the mid 19th century.

Castell Aberteifi, 2013.
Y flwyddyn gyntaf ers 1975 i furiau'r castell fod yn rhydd o'r anelau metel a oedd yn atgyfnerthu'r strwythur. Mae hanes y castell yn ymestyn yn ôl i 1110 OC.

Cardigan Castle, 2013.
The first year since 1975 that the castle walls have been free from the metal stanchions which reinforced the structure. The castle's history stretches back to 1110 AD.

Jean Jones, Blaenannerch, 2014.
Bu Jean yn rhan o'r ymgyrch i adnewyddu Castell Aberteifi. Dyma hi ar y ffarm deuluol, lle roedd yn byw gyda'i gŵr, y Prifardd Dic Jones.

Jean Jones, Blaenannerch, 2014.
Jean has been part of the campaign to restore Cardigan Castle. Here she is at the family farm, where she lived with her husband, the renowned Welsh-language poet Dic Jones.

Canon Seamus Cunnane, Aberteifi, 2014.
Roedd y Canon yn 85 mlwydd oed pan dynnais i'r llun hwn. Mae'n sefyll wrth yr hen ywen ym mynwent Eglwys y Santes Fair, Aberteifi. Y tu ôl iddo mae'r Priordy, safle un o'r adeiladau cyntaf yn Aberteifi. Diolch i'r Eglwys yng Nghymru am ganiatâd i dynnu'r llun hwn ar dir yr eglwys.

Canon Seamus Cunnane, Cardigan, 2014.
The Canon was 85 years old when I took this picture. He is standing by the old yew tree at St Mary's Church, Cardigan. Behind him stands the Priory, the location of one of Cardigan's earliest buildings. Thanks to the Church in Wales for permission to take this picture on church land.

Tamsin a Dilwyn Davies, Coedmor, 2012.
Mae'r pâr yn briod ac yn gweithio gyda'i gilydd yn Theatr Mwldan, Aberteifi. Dilwyn yw Cyfarwyddwr y theatr a Tamsin yw'r Rheolwraig Marchnata.

Tamsin and Dilwyn Davies, Coedmor, 2012.
This married couple work together at Theatr Mwldan, Cardigan. Dilwyn is the theatre's Director and Tamsin is the Marketing Manager.

Eglwys Sant Mihangel, Penbryn, 2012.
Un o'r eglwysi hynaf yn y sir.

St Michael's Church, Penbryn, 2012.
One of the county's oldest churches.

Rhydowen, 2012.
Rhydowen, 2012.

Evan Davies, Rhydowen, 2013.
Ffarmwr defaid yw Evan. Mae ei ffarm yn edrych dros Gwm Cadifor tuag at safle hen fryngaer Pencoedfoel.

Evan Davies, Rhydowen, 2013.
Evan is a sheep farmer. His farm has fine views of Cwm Cadifor valley and the old hillfort of Pencoedfoel.

Uwchben Tregaron mae ucheldir gwyllt a hynod, 2012.
The wild and wonderful highland above Tregaron, 2012.

Rhiannon Evans, Gemydd, Tregaron, 2013.
Mae'r artist yn creu gemwaith yn ei gweithdy yng Nghanolfan Aur Cymru Rhiannon, Tregaron. Sefydlwyd y fenter yn 1971, ac ers hynny mae'r cwmni wedi bod yn creu gemwaith gwreiddiol, gan gynnwys darnau o aur Cymru o ogofâu Dolaucothi.

Rhiannon Evans, Jeweller, Tregaron, 2013.
The artist creates jewellery in her workshop at Rhiannon Welsh Gold Centre, Tregaron. The venture was established in 1971, and since then the company has been producing original jewellery, including pieces incorporating Welsh gold from the Dolaucothi Gold Mines.

Evan Tom Williams, Pentre-llwyn, 2012.
Ganwyd yn 1932, yng Nghwm-geist, Tregroes. Bu'n gweithio mewn melinau gwlân lleol, gan gychwyn ym Melin Pantolwen yn Awst 1946. Wedi i honno gau yn Awst 1960 bu'n gweithio ym Melin Cambrian 1961–1971, ym Melin Alltcafan 1971–1979, ac yna ym Melin Siwan 1979–1993.

Evan Tom Williams, Pentre-llwyn, 2012.
He was born in 1932, at Cwm-geist, Tregroes. He worked at the local woollen mills, starting at Pantolwen Mill in August 1946. After the mill shut in August 1960 he worked at Cambrian Mill 1961–1971, in Alltcafan Mill 1971–1979, and then at Siwan Mill 1979–1993.

Sir Aberteifi

Cododd Maelgwn, mab Rhys Fychan, a oedd o linach yr Arglwydd Rhys, yn erbyn y goron yn 1294 a hynny'n cyd-fynd â gwrthryfel Madog ap Llywelyn yng Ngwynedd. Unwaith eto daeth byddin y goron i ddiffodd fflamau'r gwrthryfel, a symudon nhw i lawr i Geredigion o Wynedd ar ôl trechu cefnogwyr Madog. Cafodd Maelgwn ei ddienyddio yn Henffordd, a daeth diwedd ar ymdrechion llinach frenhinol Deheubarth i adfer arglwyddiaeth Gymreig annibynnol yn y sir am dros ganrif, tan i Owain Glyndŵr godi yn erbyn y goron ddechrau'r 15fed ganrif.

Sefydlwyd Sir Aberteifi, gydag ardal a oedd yn cael ei galw'n 'Is Aeron' yn cael ei rheoli o Gastell Aberteifi, ac ardal 'Uwch Aeron' yn cael ei rheoli o Aberystwyth. Llanbadarn oedd enw'r castell yn Aberystwyth yn y cyfnod hwn, ac fe'i crëwyd fel rhan o gynllun Edward I i adeiladu cestyll gormesol i reoli'r Cymry. Rhoddwyd y castell mewn lleoliad lle gellid ei gyflenwi o'r môr yn ystod cyfnod o argyfwng, a pharhawyd gyda'r broses o greu 'shire' neu sir dan y drefn Seisnig. Roedd Aberteifi a hanner cwmwd Iscoed Is Hirwern dan reolaeth y goron ers 1241, a chyfeiriwyd at yr ardal hon fel sir ers yr 1240au.

Trosglwyddwyd Caerfyrddin ac Aberteifi i ddwylo Edmund, brawd Edward I, yn 1265 ac fe aeth ati i sefydlu sylfaen y sir newydd. I gychwyn roedd y sir yn annibynnol o'r goron Seisnig ac o dan reolaeth Edmund Dug Caerhirfryn. Yn 1279 cyfnewidiodd Edmund ei diroedd yng Ngheredigion a thref Caerfyrddin am dir yn Swydd Derby, a chwblhawyd y newidiadau gweinyddol gan Ddeddf Rhuddlan yn 1284. Daeth y sir newydd yn eiddo i'r brenin. Serch hynny, ni soniwyd am arglwyddiaethau Caron na Llanddewibrefi, ac yn dechnegol ni ddaeth y rhain yn rhan o Sir Aberteifi tan y Deddfau Uno.

Roedd yna farchnadoedd ynghlwm wrth y bwrdeistrefi newydd yn Aberteifi ac Aberystwyth. Trosglwyddwyd arglwyddiaeth Caron i Geoffrey Clement, ynghyd â'r hawl i gynnal marchnadoedd yno bob dydd Mawrth a dwy ffair flynyddol. Ar y cyfan, roedd y bwrdeistrefi cynnar Normanaidd hyn yn parhau i ddilyn y system *Breteuil*, lle byddai'r Cymry a'r Sacsoniaid yn cael eu gwahardd rhag bod yn fwrdeisiaid, ond roedd Aberystwyth a Llanbed yn eithriadau i'r drefn hon.

Yn Aberteifi, yn 1301–02, dim ond 5 o'r 112 o fwrdeisiaid oedd yn meddu ar enwau Cymraeg. Yn Aberystwyth, enwau Cymraeg oedd gan bron hanner y 112 o fwrdeisiaid, tra oedd enwau Cymraeg gan 19 o 21 o fwrdeisiaid Llanbed yn 1302–03. Cymry hefyd oedd mwyafrif bwrdeisiaid Adpar, bwrdeistref sylweddol yn y cyfnod, ac iddi 96 o fwrdeisiaid yn

1326. O'r rhain, roedd 25 o fwrdeisiaid yn ferched, fel Efa, merch Ieuan ap Cadogan, a Lleucu, merch Adaf.

Sefydlwyd Llanbedr Pont Steffan fel bwrdeistref yn 1285 a byddai'n cynnal marchnad a ffair flynyddol, a hynny dan arglwyddiaeth Rhys ap Maredudd cyn iddo wrthryfela yn 1287. Yn 1309 cafodd yr arglwyddiaeth ei throsglwyddo i Rhys ap Gruffudd, un o gefnogwyr brwd Edward II. Saif gyrfa Rhys ap Gruffudd fel esiampl o'r drefn newydd yn y 14eg ganrif wrth iddo lwyddo dan nawdd y goron. Sir Gaerfyrddin oedd pencadlys Rhys ap Gruffudd, wedi iddo etifeddu tir ei dad yn 1308. Wedi hynny cafodd ei benodi'n stiward Aberteifi, a chafodd yr hawl i Lanbed yn ogystal â thir yn Llanrhystud tua diwedd ei oes. Yn 1322 profodd Rhys ei deyrngarwch i'r brenin trwy sicrhau'r mil o ddynion o Gaerfyrddin a Sir Aberteifi a deithiodd i Newcastle upon Tyne i ymladd dros y goron. Yn dilyn llofruddiaeth Edward II yn 1327 parhaodd gyrfa Rhys dan nawdd Edward III, a hynny ar ôl i Edward ladd cariad ei fam, Roger de Mortimer, yn 1330.

Roedd Roger de Mortimer wedi'i eni yn Henffordd, yn nai i Roger Mortimer de Chirk, y gŵr a drosglwyddodd ben Llywelyn ap Gruffudd i Edward I yn 1282. Cafodd Mortimer, Iarll y Goror, ei garcharu yn Nhŵr Llundain yn 1322 am arwain gwrthryfel yn erbyn Edward II. Dihangodd i Ffrainc, lle ymunodd Isabella, gwraig y brenin, ag ef. Mortimer sy'n cael y bai am drefnu marwolaeth Edward II ar ôl cipio'r goron yn 1326, a rheolodd Loegr gydag Isabella tan 1330 pan gafodd ei ddymchwel gan Edward III. Cafodd ei grogi yn Tyburn, a dygwyd ei diroedd gan y goron.

Parhaodd Rhys ap Gruffudd i gefnogi coron Lloegr tan yr 1340au. Cafodd ei urddo'n farchog a bu ei filwyr yn rhan o'r brwydro yn Crécy yn 1346. Mae'n arwydd o'r newid byd fod y Cymro hwn wedi parhau'n ffyddlon i'r goron yn ystod cyfnod

pan oedd Iarll o'r gororau yn rheoli Lloegr ar ôl llofruddio'r brenin.

Dyma gyfnod Dafydd ap Gwilym, un o feirdd mawr y traddodiad barddol Cymraeg. Credir iddo gael ei eni ym Mrogynin, ger Penrhyncoch, tua 1320. Roedd yn fab i gefnder i Rhys ap Gruffudd, ac roedd ei wncwl, Llywelyn ap Gwilym, yn gwnstabl Castell Newydd Emlyn. Bu'r ewythr hwn yn ddylanwad allweddol ar addysg Dafydd, a ddaeth yn fardd enwog trwy Gymru ac Ewrop. Roedd y teulu'n rhan o'r gyfundrefn Gymreig newydd. Rhwng 1246 ac 1256 bu Gwilym ap Gwrwared yn gwasanaethu Nicholas de Molis, a oedd yn rheoli'r wlad o gwmpas ardal Llanbadarn Fawr. Cafodd ei fab ef, Einion Fawr, dir yng nghwmwd Emlyn yn dilyn gwrthryfel Rhys ap Maredudd yn 1287–88 a daeth yn gwnstabl ar Gastell Newydd Emlyn.

Yn 1343, tyngodd Llywelyn ap Gwilym, ewythr Dafydd, lw i'r Tywysog Du, ond cafodd ei ddisodli fel cwnstabl gan Richard de la Bere, ac mae'n debyg i Llywelyn gael ei lofruddio gan ddilynwyr De la Bere. Roedd Gwilym Gam, tad Dafydd, yn frawd i Llywelyn. Credir fod Dafydd yn byw rhwng 1320 ac 1370, ac yn ôl marwnad ei gyfaill, Gruffudd Gryg, cafodd ei gladdu 'ger mur Ystrad-fflur a'i phlas'. Roedd yn ei anterth rhwng tua 1340 ac 1360, yn teithio o gwmpas Cymru i ennill ei fywoliaeth. Mae ei gerddi'n llawn o ogoniant byd natur, yn ogystal â cherddi mwy beiddgar fel 'Trafferth mewn Tafarn'. Hefyd, yn ei gyfeiriad at 'ferched y plwyf', ceir awgrym o'r newidiadau crefyddol a diwylliannol yn yr oes hon, wrth i eglwysi plwyf chwarae rhan ganolog yn y gymdeithas.

Bu Abaty Ystrad Fflur yn ganolfan economaidd a diwylliannol am ddau gan mlynedd ers ei sefydlu ar safle parhaol yn yr 1180au. Datblygwyd system ffyrdd o'i gwmpas er mwyn denu pererinion a chysylltu'r abaty â'i diroedd helaeth. Yn sgil llwyddiant y mynachod yn magu defaid, gwelwyd cynnydd yn nifer y ffarmwyr lleol a oedd yn ffarmio defaid yn y 13eg ganrif, lle gynt mai gwartheg oedd prif sylfaen amaethyddiaeth yng Ngheredigion.

Gwelwyd twf yn y boblogaeth yn y 14eg ganrif ac arweiniodd hyn at brinder tir i'w drin. O tua 1330 ymlaen, câi trigolion Cymru eu gwasgu'n drwm yn ariannol, yn enwedig pan ddaeth Edward III i oedran bod yn frenin. Gwaethygodd y sefyllfa o ganlyniad i'r rhyfel â Ffrainc yn 1337 a phan ddaeth Edward y Tywysog Du yn Dywysog Cymru yn 1343. Roedd natur hefyd yn greulon, a bu cynaeafau gwael am dri haf o 1315 ymlaen oherwydd tywydd oer a gwlyb. Roedd clefydau'n effeithio ar dda byw hefyd yn yr 1320au, ac o ganlyniad i'r pethau hyn i gyd roedd newyn yn fygythiad cyson.

Yna daeth y Pla Du. Cyrhaeddodd y pla i Gymru yn 1349, a chredir fod traean neu hyd yn oed hanner poblogaeth y wlad wedi marw yn y cyfnod hwn. Yn eironig, roedd yn datrys y broblem gorboblogi, ond cafwyd newidiadau cymdeithasol enbyd yn ei sgil. Roedd diffyg tenantiaid i drin y tir, a gwerthwyd nifer o'r tenantiaethau llai gan gyfrannu at dwf yr ystadau. Gadawodd nifer o weithwyr eu cartrefi i chwilio am waith, a newidiodd natur amaethyddiaeth wrth i dirfeddianwyr droi at ddulliau ffarmio amgen. Yn yr hen system gyfreithiol Gymreig roedd tir a fforffedwyd, oherwydd trosedd, dyled neu ddiffyg olynydd, yn cael ei drosglwyddo i'r tylwyth. Dan y system newydd gallai arglwyddi Seisnig weinyddu'r tir hwn yn ôl eu dymuniad, fel arfer er lles eu cefnogwyr. Ychwanegwyd at y drwgdeimlad yng Nghymru, yn enwedig yn dilyn y pla, pan gynyddodd cyfran y tir a aeth i ddwylo'r uchelwyr newydd.

Cafwyd protestiadau ar hyd a lled Ewrop, gan gynnwys y *Peasants' Revolt* yn Lloegr yn 1381, ond yng Nghymru roedd

yna ffactor ethnig hefyd wrth i'r Cymry feio'r Saeson estron. Roedd rhai Cymry'n rhan o'r drefn newydd hon, fel Rhys Ddu yng Ngheredigion. Roedd nifer o'r uchelwyr wedi ymestyn eu tiroedd yn ystod blynyddoedd y pla a'r newyn, ond erbyn diwedd y ganrif roedd eu hincwm yn dioddef, yn enwedig ar ôl y methiannau milwrol yn Ffrainc yn yr 1370au a diwedd y rhyfela yn 1389.

Yn y maes crefyddol roedd y Cymry hefyd yn dioddef. Dim ond un Cymro oedd ymysg yr 16 o esgobion a apwyntiwyd yng Nghymru rhwng 1372 ac 1400. Hawliwyd incwm eglwysig gan fynachdai ac eglwysi cadeiriol Seisnig, ac roedd trethi eglwysig trwm, tra oedd chwyddiant yn effeithio ar incwm penodedig y clerigwyr.

Roedd uchelwyr Cymreig a'u cefnogwyr yn anfodlon tu hwnt erbyn dechrau'r 15fed ganrif, a chan eu bod yn dal i gynnal eu lluoedd arfog eu hunain roedd y sefyllfa wleidyddol yn fregus. Pan ddaeth Henry IV i orsedd Lloegr yn lle Richard II yn 1399, parhaodd yr anhrefn gan fod ei hawl i reoli yn bwnc dadl. Roedd ei flynyddoedd cyntaf wrth y llyw yn gyfnod o gynllwynio, gwrthryfela a rhyfeloedd yn yr Alban, Iwerddon a Ffrainc.

Ar ddechrau'r 15fed ganrif daeth arweinydd newydd Cymreig i frwydro yn erbyn coron Lloegr, gan arwain gwrthryfel a fyddai'n parhau am dros ddegawd. Ganwyd Owain ap Gruffudd Fychan yng Ngharrog neu Sycharth ym Mhowys tua 1359, yn ddisgynnydd i dywysogion Powys Fadog ar ochr ei dad.

Roedd Owain Glyndŵr felly yn Farwn Cymreig, yn berchen ar Lyndyfrdwy a Chynllaith dan nawdd y brenin. Trwy Elen, ei fam, roedd yn perthyn i linach frenhinol Deheubarth, a golygai hyn ei fod hefyd yn arglwydd tir yn Iscoed Uwch Hirwern a Gwynionydd Is Cerdin yng

Ngheredigion. Cafodd addysg gyfreithiol yn ystod ei ieuenctid ac etifeddodd diroedd ei dad tua 1371. Bu'n filwr yn ymladd yn Berwick yn 1384, dan arweiniad Syr Gregory Sais, ac o dan arweiniad Richard Fitzalan yn Sluys yn 1387. Roedd yn aelod blaengar o'r gymdeithas Gymreig, a ffynnodd o dan y drefn newydd.

Daeth tro ar fyd yn 1399 pan gipiodd Henry Dug Lancaster goron Lloegr oddi wrth Richard II. Yn sgil y drefn newydd roedd drwgdeimlad tuag at nifer o ddilynwyr yr hen frenin gynt, a bu anghydfod rhwng Owain ac un o'i gymdogion, Reginald Grey, Arglwydd Dyffryn Clwyd, gŵr yr oedd ganddo gysylltiad agos â Henry IV. Bu'r ddau'n cweryla dros dir ar ffin eu hystadau, a chredir hefyd fod Grey wedi parddu enw Owain trwy beidio â throsglwyddo cais i Owain ymddangos o flaen y brenin, gweithred a arweiniodd at ystyried Owain yn anheyrngar. Ym Medi 1400, yng Nglyndyfrdwy, daeth Owain, ei frawd Tudur, ei fab Gruffudd a nifer o Gymry blaengar eraill y gogledd-orllewin at ei gilydd, ynghyd â Crach Ffinant, proffwyd Glyndŵr, a datganwyd mai Owain oedd Tywysog Cymru a galwyd ar y Cymry i frwydro yn erbyn gorthrwm y goron.

Dan arweiniad Glyndŵr ymosododd tua 270 o ddynion ar drefi Seisnig Rhuthun, Dinbych, Rhuddlan, y Fflint, Penarlâg, Holt, Croesoswallt a'r Trallwng. Daeth Henry IV a'i luoedd i Amwythig i roi terfyn ar y gwrthryfel. Erbyn mis Hydref roedd wedi gadael gogledd Cymru, yn fodlon fod y gwrthryfel ar ben. Ond er i nifer o ddynion gael pardwn gan y brenin, doedd dim pardwn i Glyndŵr a'i gefnderwyr o Fôn, Rhys a Gwilym Tudur. Cipiwyd tiroedd Owain yn y gogledd a'r de. Ar Wener y Groglith 1401 ymosododd Rhys a Gwilym Tudur ar Gastell Conwy, ac nid ildiwyd y castell tan fis Mehefin pan aeth y Tuduriaid yn ôl i Fôn wedi cael pardwn.

Collodd Glyndŵr frwydr yn erbyn John Charlton, Arglwydd Powys, ond erbyn mis Mai 1401 daeth ei fuddugoliaeth gyntaf o bwys ar fryniau Pumlumon yng ngogledd Ceredigion. Yn ystod haf 1401 roedd tua 500 o filwyr Glyndŵr wedi'u lleoli yno, yn rheibio'r tir i'r de ac i'r gorllewin. Daeth tua 1,500 o ddynion de Sir Benfro a de Ceredigion i ymosod ar ddynion Glyndŵr. Amgylchynwyd Glyndŵr a'i gefnogwyr, ond defnyddiodd hwnnw fantais y tir uchel i ennill y dydd ac yna aeth i ymosod ar Aberystwyth. Ni chipiwyd y castell, ond llosgwyd y dref. Felly, teithiodd byddin Henry IV trwy Ddyffryn Tywi i Ystrad Fflur ac atgyfnerthwyd gwarchodlu Aberystwyth ac Aberteifi.

Daeth bri mawr i achos Glyndŵr yn dilyn y fuddugoliaeth, gyda myfyrwyr o Rydychen a Chaergrawnt a gweithwyr amaethyddol o Loegr yn dychwelyd i Gymru i ymuno â'r achos. Yn ystod y ddwy flynedd nesaf daliwyd Castell Caernarfon o dan warchae. Cipiwyd Reginald Grey yn Ebrill 1402, ac ym Mehefin daeth buddugoliaeth ysgubol Bryn-glas. Daeth Syr Edmund Mortimer yn un o garcharorion Glyndŵr yn dilyn brwydr Bryn-glas, yn garcharor pwysig yn wir, gyda hawl ddilys i goron Lloegr. Gwrthododd Henry IV dalu i ryddhau Mortimer, ac felly ymunodd hwnnw ag achos Glyndŵr a phriododd Catherine, merch Glyndŵr. Rhyddhawyd Grey pan dalwyd ffi o 10,000 marc, tua £660.

Yn dilyn y llwyddiant ym Mryn-glas yn Sir Faesyfed tyfodd y gefnogaeth i Glyndŵr yng Ngheredigion. Erbyn 1403 roedd Rhys Ddu a llu o ddynion Ceredigion wedi ymuno â Glyndŵr i ymosod ar Ddyffryn Tywi. Roedd Rhys Ddu yn gyn Siryf Ceredigion ac yn aelod allweddol o gwmni Glyndŵr. Pan gipiwyd cestyll Aberystwyth a Harlech yn 1404, Rhys Ddu oedd yn rheoli Aberystwyth yn enw Glyndŵr.

Ymysg ei gefnogwyr eraill yn y sir hon roedd Philip a

Thomas ap Rhydderch, meibion Rhydderch ap Ieuan Llwyd o Lyn Aeron. Ymunodd Maredudd ab Owain ag ef, gan briodi merch Rhys Ddu, a chefnogwr arall oedd Rhys ap Llywelyn ap Cadwgan, a oedd hefyd yn gyn Siryf. Collodd y rhain yr hawl i'w tiroedd. Pan gollodd Rhys Ddu ei dir yn 1401 trosglwyddwyd y tir i William ap Llywelyn ap Hywel, cwnstabl cymydau Creuddyn, Caerwedros, Mabwynion a Gwynionydd ers 1399.

Daeth ymgyrchoedd brenhinol eto i Gymru yn 1401, 1402 ac 1403 ond heb gyfarfod â Glyndŵr. Erbyn hyn roedd Owain yn cysylltu â brenhinoedd yr Alban ac Iwerddon. Ymateb y goron oedd gosod nifer o fesurau newydd llym ar fywyd y Cymry. Nid oedd hawl gan fwy na thri Chymro gyfarfod na dwyn arfau, na chadw cestyll, na gweinyddu mewn swydd. Aeth y Tywysog Henry ati i losgi cartref Glyndŵr yn Sycharth a rheibio'i ystad yng Nglyndyfrdwy.

Cipiodd Glyndŵr gestyll Aberystwyth a Harlech yn 1404, ac yn yr un flwyddyn gwnaeth Owain ddatganiad cyhoeddus mai ef oedd Tywysog Cymru, a gwnaed cynghrair â brenin Ffrainc. O'i lys yn Harlech datblygodd Owain system weinyddol ar gyfer gwladwriaeth Gymreig, gan gynnal senedd ym Machynlleth a Harlech. Cafodd gryn dipyn o lwyddiant rhwng 1403 ac 1406, ac ymgyrchodd yn Sir Gâr gydag 8,000 o ddynion yn 1403. Cipiwyd cestyll Carreg Cennen, Dryslwyn, Castell Newydd Emlyn a Chaerfyrddin, sef canolfan y goron yn y de-orllewin.

Yn Awst 1405 glaniodd 2,500 o filwyr o Ffrainc yn Aberdaugleddau ac roeddynt ymhlith tua 10,000 o filwyr a oedd yn dilyn Glyndŵr. Symudodd y fyddin i'r dwyrain, gan gyfarfod â byddin frenhinol Henry yng Nghaerwrangon, y tro cyntaf ers canrifoedd maith i fyddin Gymreig groesi'r ffin i Loegr. Wynebodd y ddwy fyddin ei gilydd am wythnos heb

frwydr, ond ciliodd Glyndŵr am ei bod hi'n anodd cyflenwi anghenion byddin o'r maint hwnnw ar dir estron.

Roedd y mwyafrif o ddynion Gŵyr, Sir Gâr, Ceredigion a Môn wedi cefnu ar Glyndŵr yn sgil gormes lluoedd y goron erbyn diwedd 1406. Daeth y Tywysog Henry i warchae Castell Aberystwyth, a syrthiodd y castell i ddwylo'r goron erbyn diwedd 1408. Erbyn Chwefror 1409 roedd Castell Harlech hefyd yng ngafael y goron yn dilyn gwarchae hir, a bu farw Edmund Mortimer. Dihangodd Glyndŵr, ond cipiwyd ei wraig, dwy o'i ferched a'i wyresau yn garcharorion a'u hanfon i Lundain. Ymosododd Glyndŵr ar y ffin yn 1412, ond does dim sôn amdano wedi hynny. Credir iddo gilio i Swydd Henffordd, i Kentchurch, i fyw gyda'r teulu Scudamore. Roedd ei ferch, Alice, yn briod â Syr John Scudamore.

Erbyn 1415 roedd Maredudd ab Owain o Geredigion yn gwasanaethu'r goron ym mrwydr Agincourt, ond parhaodd tad ei wraig, sef Rhys Ddu, i frwydro tan ddiwedd ei oes. Cafodd ei ddal yn ymgyrchu yn Swydd Amwythig yn 1410 a'i ddienyddio. Yn 1407 roedd Rhys Ddu wedi gofyn am ganiatâd Glyndŵr i ildio Castell Aberystwyth, ond ymateb Glyndŵr oedd bygwth torri ei ben oddi ar ei ysgwyddau petai'n gwneud hynny.

Er nad oedd pob Cymro yn cefnogi Glyndŵr, hawliodd gefnogaeth o bob rhan o Gymru. Ef oedd yr olaf o linach Deheubarth a Phowys i godi yn erbyn coron Lloegr, ac mae'r ffaith fod y gwrthryfel wedi parhau cyhyd yn arwydd o'i allu i arwain, ynghyd â dymuniad pobol Cymru i'w ddilyn. Roedd dynion fel Rhys Ddu, a dilynwyr eraill Glyndŵr yn y sir, wedi chwarae eu rhan yn yr ymgyrch a cholli eu bywydau yn dilyn eu harglwydd Cymreig.

Ar ôl cyfnod Glyndŵr bu nifer o filwyr Cymreig yn ymladd i'r goron. Erbyn hyn cyflogi milwyr oedd yr arfer, yn hytrach na'r hen arfer lle byddai dynion yn dilyn eu 'teulu' a'u harglwydd. Roedd 102 o saethwyr bwa o Geredigion yn rhan o'r fyddin o 5,000 o ddynion a aeth i Agincourt yn 1415. Yn eu plith roedd Gruffudd ab Adda ab Ieuan ap Gruffudd o gwmwd Mefenydd, a Gruffudd ap Maredudd ap Rhys o gwmwd Genau'r-glyn.

Yn dilyn marwolaeth Henry V yn 1422 daeth cyfnod afreolus a chyfle i ddynion uchelgeisiol fel Thomas ap Gruffudd o Ddinefwr godi ei statws yn y sir. Ar ôl ei briodas cafodd dir yn Llangybi, Betws Bledrws a Llanrhystud a ganwyd mab iddo, Rhys ap Thomas, a fyddai'n chwarae rhan yn llwyddiant Henry Tudor. Pan laniodd Henry Tudor yn Mill Bay yn ne Sir Benfro yn 1485, ymunodd Rhys ap Thomas â'i ymgyrch i hawlio coron Lloegr, gan deithio tua'r dwyrain tra oedd Henry yn teithio trwy Geredigion. Yn ôl traddodiad lleol arhosodd Henry Tudor dros nos yn Llwyndafydd neu yn Wern Newydd ger Llanarth.

Traddodiad arall yw fod tŵr eglwys Llanwenog wedi ei adeiladu yn ystod teyrnasiad Henry VII, a hynny er cof am y dynion lleol a syrthiodd ar gae Bosworth. Uwchben ffenest y tŵr mae arfbais Rhys ap Thomas yn gofnod o'i gefnogaeth i'r 'brenin Cymreig' a hawliodd goron Lloegr. Urddwyd Rhys ap Thomas yn farchog, a daeth yn Stiward Aberhonddu a Llanelwedd ac yn Ustus a Siambrlen De Cymru. Daeth bri i nifer o deuluoedd Cymreig eraill hefyd dan nawdd Henry VII, ond cafodd teyrnasiad ei fab, Henry VIII, effaith fwy syfrdanol ar Gymru oherwydd y Deddfau Uno a gyflwynwyd yn 1536 ac 1543.

Roedd arwyddion cynnar na fyddai Henry VIII bob amser yn ystyriol o hawliau'r Cymry dan y drefn newydd. Gwrthododd ddyrchafu Rhys ap Gruffudd, ŵyr Rhys ap Thomas. Yn ei le penodwyd Walter Devereux, Arglwydd Ferrers, yn Brif Ustus a Siambrlen De Cymru. Ymosododd Rhys ar Gastell Caerfyrddin gyda charfan o wŷr arfog yn 1529, ond cafodd ei arestio a'i garcharu. Fe'i dygwyd i Lundain i'r brawdlys, ac er iddo gael pardwn, cafodd ei arestio ddwywaith eto. Fe'i cyhuddwyd o deyrnfradwriaeth yn Nhachwedd 1531. Honnwyd fod Rhys wedi cynllwynio gyda James V o'r Alban er mwyn ennill Cymru iddo'i hun. Dywedwyd hefyd ei fod yn casáu Anne Boleyn a'i fod yn Babydd brwd. Fe'i dienyddiwyd ar 4 Rhagfyr 1531.

Daeth si ar led o lawer cyfeiriad fod de Cymru yn barod am wrthryfel, ac yn y cyd-destun hwn y cyflwynwyd y Deddfau Uno yng Nghymru. Penodwyd yr Esgob Rowland Lee yn Llywydd Cyngor Cymru a'r Gororau yn 1534, a honnodd Elis Gruffydd fod hwnnw wedi crogi 'ychwaneg i bum mil o wŷr' mewn chwe mlynedd. Cyflwynwyd cyfres o fesurau yn 1534, ac yn eu plith daeth y rheol na châi'r un Cymro gario arfau'n gyhoeddus mewn llys, tref, eglwys, ffair neu farchnad, a diddymwyd hawl yr arglwyddi i 'arddel', sef cynnig lloches i droseddwyr.

Er gwaetha'r cefndir gwrthryfelgar, am y tro cyntaf roedd y Deddfau Uno yn sicrhau'r un hawliau i'r Cymry â dinasyddion Lloegr. Sefydlwyd Ustusiaid Heddwch yng Nghymru, a chan mai tirfeddianwyr lleol oedd yr ustusiaid fel arfer rhoddwyd mwy o rym i'r boneddigion lleol. Ymysg eu dyletswyddau roedd cynnal ffyrdd a phontydd, rheoli marchnadoedd, ffeiriau, carchardai a diotai, pwysau a mesurau ac amodau gwaith, a gofal dros y tlodion, yr henoed a'r methedig. Am y tro cyntaf hefyd byddai Aelodau Seneddol o Gymru yn mynychu San Steffan.

Cipiwyd tiroedd yr abatai a'r mynachlogydd a daeth y brenin yn bennaeth ar yr Eglwys yng Nghymru a Lloegr. Roedd Ceredigion yn eiddo i'r brenin ers 1284, ond roedd elfennau o'r hen drefn wedi parhau am dros ddwy ganrif, tan i Henry VIII ddiddymu honno a mynnu cydymffurfiaeth trwy Gymru a Lloegr. Fel rhan o'r Deddfau Uno, daeth arglwyddiaethau Llanddewibrefi a Charon yn rhan o Sir Aberteifi a gweinyddwyd y gyfraith 'according to the lawes customes and statutes of this Realme of Englande and after no Welsh Lawes'.

Roedd yna ddwy sedd seneddol yn Sir Aberteifi, sef sedd y sir a sedd y bwrdeistrefi. Teulu dylanwadol Pryse Gogerddan oedd yn tra-arglwyddiaethu yn y gogledd. O ran sedd y bwrdeistrefi, deuai'r aelodau'n aml o Sir Benfro neu Sir Gaerfyrddin, dynion fel Thomas Phaer o ogledd Sir Benfro a fu'n cynrychioli bwrdeistrefi Sir Aberteifi o 1555 i 1563. Roedd teuluoedd fel y teulu Pryse o Gogerddan yn ymfalchïo yn eu llinach, a oedd yn deillio o Gwaethfod yn eu hachos nhw, sef Arglwydd Aberteifi a fu farw yn 1057. Er eu balchder achyddol, roedd yn gyfnod pan oedd y tirfeddianwyr yn addasu i draddodiadau Seisnig. Roedd Jenkin Lloyd o Gilfach-wen ger Llandysul yn dod o linach Cadifor ap Dinawal, ond gollyngodd yr 'ap' er mwyn addasu ei enw yn ôl y drefn Seisnig a bathu'r cyfenw 'Lloyd' yn lle hynny.

Disodlwyd goruchafiaeth y traddodiad Pabyddol yn y deyrnas wrth i Henry VIII sefydlu Eglwys Loegr. Un o'r canlyniadau mwyaf amlwg yng Ngheredigion oedd diddymu Priordy Aberteifi, lleiandy Llanllŷr ac Abaty Ystrad Fflur. Diddymwyd yr abaty yn 1539 a daeth yn eiddo i'r teulu Devereux. Aeth y clychau i blwyf Caron a thynnwyd y plwm o'r to. Prynwyd Priordy Aberteifi gan John Cavendish yn 1539.

Bu farw Harri VIII yn 1547, a bu ei unig fab, Edward VI, crwt ifanc naw oed, yn frenin tan 1553. Ac yntau'n gryf dan ddylanwad ei gynghorwyr, daeth newidiadau crefyddol

pellach yn ystod ei deyrnasiad. Cipiwyd rhagor o eiddo'r eglwysi, gan gynnwys plât yr eglwys a'r addurniadau. Diddymwyd nifer o'r agweddau crefyddol cyfarwydd, yn enwedig delweddau a'r hen ddyddiau saint a'r defodau traddodiadol. Yn ogystal, cyflwynwyd y Llyfr Gweddi Gyffredin yn Saesneg yn 1549.

Er bod abatai'r Eglwys Babyddol wedi bod yn rhan ganolog o economi'r canol oesoedd, roedd y boneddigion yng Ngheredigion yn ddigon parod i feddiannu tiroedd eglwysig, megis rhai Abaty Ystrad Fflur. Wrth osod y brenin yn bennaeth ar yr Eglwys, cwtogwyd nerth y glerigaeth a chynigiwyd cyfleoedd newydd i'r Cymry. Yn 1549 cyflwynwyd deddf yn caniatáu i offeiriaid briodi. Yn ôl y ddeddf newydd hon, gallai offeiriad sicrhau parchusrwydd i'w wraig a chyfreithlondeb i'w blant.

Yn 1588 cyhoeddwyd Beibl William Morgan, y tro cyntaf i'r Beibl cyfan fod ar gael i'r Cymry yn eu hiaith eu hunain. Er mai yn Llanrhaeadr-ym-Mochnant yr oedd yr Esgob pan gyflawnodd y dasg, bu'n ficer plwyf yng nghwmwd Perfedd ger Aberystwyth rhwng 1572 ac 1577. Roedd cyhoeddi'r argraffiad hwn yn ddigwyddiad o bwys, nid yn unig yn grefyddol, ond oherwydd ei effaith gadarnhaol ar barhad yr iaith Gymraeg.

Bu'r Canon Seamus Cunnane o Aberteifi yn weithgar wrth ddarganfod tystiolaeth am 'yr hen ffydd' yng Ngheredigion, a cheir yr hanes hwn yn ei erthygl 'Ceredigion and the Old Faith'.

Yn dilyn chwyldro crefyddol Henry VIII, datblygodd y mudiad Gwrth-Ddiwygiad i hybu'r hen ffydd yng ngwladwriaeth Cymru a Lloegr, y tu ôl i furiau cyfeillgar. Parhaodd nifer o offeiriaid i ledaenu neges Eglwys Rufain am ddegawdau wedi'r Diwygiad. Daeth Hugh David yn ficer

Llanarth a Llanina ar 6 Tachwedd 1574. Roedd yn ddisgynnydd i fonheddwyr mân, a'i gefndir boneddigaidd yn un digon di-nod tan iddo gael ei gyhuddo o deyrnfradwriaeth yn 1592. John Lewes o Gwm Owen, Llangrannog, oedd y sawl a gyhuddodd Hugh David, ac ymysg ei gyhuddiadau roedd:

'... upon the ixth day of Apr[il] last paste Hugh David sayd... that Kynge henry the seventh was a bastard...'

A'i fod hefyd wedi dweud:

'... Hugh David sayd woe be unto that Realme that a woman is govner of...'

Honnodd Syr John Puckering 'That the said Hughe David leadeth a bad life in evell instructing simple people...' Honnir iddo ymgilio i 'Chappell Llangrest' yn Sir Aberteifi (Llan Crist) er mwyn cynnal defodau dirgel, a'i fod hefyd yn cynnal defodau yn eglwysi Llanarth a Llanina, er cof am 'Meilicke sake' yn Llanarth 'and for Ina sake in Llannina'. Mae dros ddegawd o gofnodion troseddol Sesiynau Cyffredinol Sir Aberteifi o'r cyfnod hwn ar goll, ond ceir un cyfeiriad bychan mewn llawysgrif gan Thomas Morgan:

'This year Sir Hugh David Coch, vicker of Llanerth was drawn, hanged and quartered...'

Cynnig gorau Seamus Cunnane yw fod y gosb wedi'i chyflwyno ar Fanc y Warin i'r gogledd o Aberteifi, ar ffin yr hen dir comin a ffarm a aseiniwyd i gwnstabl Castell Aberteifi. Mae'n bosib fod Hugh David wedi'i dderbyn yn offeiriad Pabyddol cyn dod yn ficer Llanarth a Llanina, efallai yn ystod cyfnod Mary I wrth y llyw. Cafodd ei gyhuddo o berfformio defod y 'Corpus Christi', sy'n addoli bodolaeth corfforol Crist fel rhan o'r cymun, defod annilys o gael ei chyflawni gan offeiriad a oedd heb ei dderbyn yn offeiriad Pabyddol.

Yn yr 16eg ganrif datblygwyd y diwydiant cloddio arian yng Ngheredigion o gwmpas dyffrynnoedd Ystwyth a Rheidol. Cafodd hyn gryn effaith ar yr amgylchedd, wrth i goed gael eu llosgi er mwyn toddi'r mwyn. Difrodwyd coed ymhob rhan o'r sir oherwydd y cynnydd yn y boblogaeth.

Amcangyfrir fod tua 17,320 o drigolion yn y sir erbyn 1563, ac yn dilyn y Deddfau Uno bu twf economaidd. Yn ogystal â'r diwydiant cloddio mwyn, roedd y diwydiant cynhyrchu gwlân yn ehangu, a sefydlwyd y melinau pandy cyntaf, gan gynnwys un ym Mhontrhydfendigaid ac un arall yn Rhuddlan Teifi. Datblygodd y diwydiant gwlân hwn a daeth yn elfen allweddol o'r economi tan yr 20fed ganrif.

Un o ganlyniadau eraill y twf economaidd oedd fod Llundain yn ehangu ac roedd angen anifeiliaid i fwydo'r boblogaeth drefol newydd hon. Cafwyd twf yn nifer y ffeiriau yn nwyrain Cymru er mwyn llenwi'r bwlch hwn, a daeth y porthmyn yn rhan bwysig o economi cefn gwlad Cymru. Symudwyd anifeiliaid i'r trefi ar y ffin, fel Llwydlo ac Amwythig, yna'u gwerthu ymlaen i Lundain a threfi eraill yn Lloegr.

Er bod y fasnach fôr yn ehangu mewn ardaloedd eraill, doedd gan Geredigion ddim porthladd o bwys, ac yn ôl Thomas Phaer doedd yna 'no trade of merchandise but all full of rocks and daungiers'. Er hynny, roedd pysgota môr yn rhan bwysig o'r economi, ynghyd ag ychydig fasnach ag Iwerddon ac ychydig fasnach anghyfreithlon y smyglwyr. Yn 1702 cafodd 1,734 o gasgenni sgadan eu hallforio o Aberteifi. Roedd llechi cerrig yn cael eu hallforio o Aberteifi ers 1620, pan aeth 10,000 o lechi cerrig ar long y *Marigould* i Iwerddon. Iwerddon oedd prif farchnad allforio'r diwydiant môr yn y sir yn y cyfnod hwn.

Ustusiaid Heddwch oedd yn gyfrifol am weithredu'r drefn newydd, ond roedd ambell un yn ddigon parod i dorri'r gyfraith newydd hon os oedd o fudd personol. Gwaharddwyd yr hen draddodiad 'comortha' gan y Deddfau Uno, sef taliad i gefnogi unigolion a oedd wedi cael anffawd a thlodi. Serch hynny, un Sul yn 1599 galwodd Richard Price o Gogerddan ar ddynion Ceredigion i gyfarfod yn Eglwys Plwyf Tregaron. Aeth nifer ohonynt i'r eglwys a darganfod pum cant o ddilynwyr arfog y teulu. Gorfodwyd y dynion i fynd i wasanaeth, a phan ddaethant allan roedd plât ar y ddaear a phedwar Ustus Heddwch, gan gynnwys Price, yn sefyll o'i gwmpas.

Cyhoeddodd sgweiar Gogerddan fod *comortha* wedi ei drefnu ac y byddai yntau a'r ustusiaid eraill yn ddiolchgar am bob rhodd. Ychwanegodd hefyd bod yna bosibilrwydd y byddai unrhyw un a fethai yn ei haelioni yn cael ei orfodi i ymuno â'r gwasanaeth milwrol yn Iwerddon. Casglwyd can punt gan yr unigolion oedd yn bresennol. Wedi hynny, penderfynodd Price ofyn i'w wraig gynnal *comortha* pellach ymysg menywod y sir, ac yn dilyn hynny ychwanegwyd £200 arall at ei ffortiwn bersonol.

Roedd mwyafrif y boblogaeth yn dal i fyw yn y wlad, ond ehangodd llawer o'r trefi yng Nghymru yn dilyn y Deddfau Uno. Wrth i gyfraith a threfn gael eu sefydlu yn ystod teyrnasiad y Tuduriaid, aeth y trefi'n llai milwrol a chaniateid i'r Cymry berchnogi tir o'u mewn. Yn ystod teyrnasiad Elizabeth I tyfodd llawer o'r trefi yng Nghymru y tu hwnt i'r muriau amddiffynnol, ond yng Ngheredigion diryiodd trefi Aberteifi ac Aberystwyth. Yn 1565 dim ond 55 o ddai oedd yn Aberteifi.

Er hynny, roedd marchnadoedd a ffeiriau wedi datblygu'n elfennau canolog yn yr economi wledig, ac ymhlith y masnachwyr roedd y Cymry yn cymysgu gyda theithwyr o bell, gan fathu newyddion a nwyddau cyfoes yn sgil hynny.

Roedd hyn hefyd yn creu incwm i'r trefi trwy godi tâl am gofnodi'r anifeiliaid a werthid. Yn Aberteifi ceid pwysau cyffredin er mwyn sicrhau cysondeb yr hyn a werthid yn Neuadd y Dref, ac roedd tollau ar unrhyw gynnyrch a werthid yn ystod y marchnadoedd.

Un o draddodiadau poblogaidd y cyfnod hwn oedd y Cnapan, a gwelir hynny yn ne Ceredigion a gogledd Sir Benfro. Mae George Owen yn sôn am ddynion Cemais yn chwarae yn erbyn dynion Emlyn a dynion Ceredigion yn 'St. Meygans' yn Sir Benfro, gyda hyd at 2,000 o bobol yn cymryd rhan. Roedd hwn yn ddigwyddiad cymdeithasol mawr a byddai bwyd a diodydd ar werth.

Ceid Cnapan rhwng plwyfi Llanwenog a Llandysul a fyddai'n cychwyn ar fore'r Hen Galan. Byddai'r tirfeddianwyr lleol yn trefnu gwledd a diod gadarn ar gyfer eu gweithwyr yn y bore a'r ornest yn cychwyn yng Nghwm Einon ger Capel Dewi. Bwriad y gêm oedd trosglwyddo'r bêl drwy borth yr eglwys yn Llandysul neu Lanwenog a byddai'r ornest yn parhau nes iddi nosi. Roedd hi'n gêm dreisgar a meddw, ond parhaodd ei phoblogrwydd yn ardal Llandysul hyd y 19eg ganrif.

Roedd crefydd yn dal yn elfen ganolog o'r gymdeithas yn ystod yr 17eg ganrif. Cyflwynwyd deddf yn 1650 i geisio gwella safon y gweinidogion yng Nghymru, ac o'r 196 o weinidogion a ddiswyddwyd yn ne Cymru roedd 20 o Geredigion. Yn eu plith roedd tri gweinidog a oedd yn cadw tafarndai, sef William Meredith, ficer Llanbed, Morris Powell, rheithor Betws Bledrws, a Griffith Evans, ficer Llanrhystud. Cafodd deg arall eu herlid am fod yn feddwon.

Bu cryn dipyn o gyffro yn y sir yn ystod y Rhyfel Cartref, gyda thuedd yng Ngheredigion i gefnogi'r brenin yn erbyn lluoedd Cromwell. Yn 1644 ymosododd lluoedd Seneddol ar

Aberteifi, ac er i'r dref ildio bu brwydro dros y castell am dridiau gyda Major Slaughter yn arwain yr amddiffyniad tan i'r Seneddwyr ei gipio. Bu farw 200 o ddynion, ac yna ceisiodd y Brenhinwyr gipio'r castell yn ôl. Dinistriwyd y bont dros afon Teifi er mwyn ceisio sicrhau na allai'r Seneddwyr o Sir Benfro groesi'r afon, ond croesodd milwyr y Senedd ar rafft, dan arweiniad Rowland Laugharne, a lladdwyd 350 o ddynion. Yn dilyn hyn, daeth y milwr proffesiynol Syr Charles Gerard o Loegr i Geredigion, gan reibio Tregaron a Llanbed ar y ffordd. Bu farw 150 o Seneddwyr mewn brwydr yng Nghastell Newydd Emlyn a dihangodd y Seneddwyr o Aberteifi ar draws y môr i Benfro.

Yn 1645, ar ôl i Gerard gael ei alw'n ôl i Loegr gan y brenin, adferodd Laugharne diroedd y gorllewin i achos y Seneddwyr. Daeth Gerard i Gastell Newydd eto, gan drechu Laugharne mewn brwydr ar 23 Ebrill. Ciliodd y Seneddwyr unwaith eto o Aberteifi a Hwlffordd a chipiwyd Penfro a Dinbych-y-pysgod gan filwyr y brenin. Ond unwaith eto cafodd Gerard ei alw i gefnogi'r brenin yn Lloegr ym mis Mehefin, ac erbyn diwedd y flwyddyn daeth dynion Laugharne yn ôl, gan gipio Caerfyrddin ar 12 Hydref a gosod gwarchae ar Aberystwyth ar ddiwedd y flwyddyn. Cipiwyd Aberystwyth gan y Seneddwyr yn Ebrill 1646 gyda Cyrnol Rice Powell o Sir Benfro a John Jones o Nanteos yn arwain yr ymosodiad.

Erbyn Medi 1646 roedd holl siroedd de Cymru wedi ymuno ag achos y Seneddwyr a ffodd y Brenhinwyr, a oedd wedi eu hamgylchynu, o Gastell Aberteifi. Bu Thomas Wogan o Sir Benfro yn Aelod Seneddol bwrdeistrefi Sir Aberteifi rhwng 1646 ac 1653, ac ef oedd un o'r ddau Gymro i lofnodi'r warant yn gorchymyn dienyddio Charles I yn dilyn yr Ail Ryfel Cartref yn 1649.

Parhaodd y cloddio am blwm ac arian yng Ngoginan a Chwmsymlog yn yr 17eg ganrif. Daeth Hugh Myddleton i'r sir gan obeithio darganfod glo, a bu'n cloddio o 1617 hyd ei farwolaeth yn 1631. Daeth Thomas Bushell i gymryd ei le yn 1636, gan ddatblygu pwll newydd yn Nhalybont. Bu hwnnw'n bathu arian i Charles I ym mlynyddoedd cynnar y Rhyfel Cartref hyd at 1643, a hynny mewn neuadd yng Nghastell Aberystwyth. Ar ôl i'r brenin golli Llundain, symudodd y bathdy i Amwythig ac yna i Rydychen, er bod yr arian ei hun yn dal i ddod o ogledd Ceredigion. Er gwaethaf ei ddyfeisgarwch wrth gyflwyno technegau newydd yn y gweithfeydd mwyn, erbyn diwedd ei oes roedd Bushell mewn dyled o £120,000.

Yn dilyn cwymp Charles I daeth y twf nesaf yn y diwydiant mwyngloddio dan arweinyddiaeth Syr Carbery Pryse o Blas Gogerddan yn 1690, ar ôl iddo ddatblygu pyllau yn Esgair-hir. Yn 1693 diddymwyd monopoli'r Mwynfeydd Brenhinol, ac o'r amser hwnnw ymlaen doedd gan y goron ddim hawl i brynu'r mwyn am bris sefydlog o fewn mis i'w gloddio. Pan fu farw yn 1694 prynwyd cyfranddaliadau Pryse gan Syr Humphrey Mackworth o Gastell Nedd, ond methodd sicrhau elw o'r fenter, ac erbyn 1710 cafodd ei gyhuddo o fod 'yn euog o lawer twyll gwarthus a hysbys'. Er hynny, parhaodd y diwydiant mwyngloddio plwm, gan gyflogi 2,000 o weithwyr yn yr 1750au.

Mudo dros Fôr Iwerydd oedd hanes rhai o'r trigolion, wrth i wledydd Ewrop ledaenu eu dylanwad yn y byd newydd. Sefydlwyd Cardigan newydd yn Newfoundland, mewn talaith o'r enw Cambriol a sefydlwyd gan y sgweiar William Vaughan yn 1617. O Fryste neu Lerpwl y byddai'r mwyafrif yn hwylio. Mae cofnod o ryw 30 yn gadael Bryste tua diwedd y ganrif er mwyn teithio i Barbados neu Virginia, ac aeth rhai Crynwyr i Pennsylvania yn yr 1680au.

Pan adferwyd y goron a'r Eglwys yn 1660, daeth cyfle pellach i'r boneddigion ymestyn eu grym. Ni allai'r brenin reoli bellach heb gydsyniad aelodau Tŷ'r Cyffredin, a oedd bron i gyd yn foneddigion, a sicrhawyd eu gafael ar eu cymdogaethau. Ehangodd yr ystadau, gan grynhoi tiroedd helaeth. Y boneddigion oedd yn rheoli eu cymunedau, heb fawr o ymyrraeth gan y goron na'r Eglwys.

Ar 12 Chwefror 1667, roedd John Vaughan o Drawsgoed yn ei blasty yn gwrando ar achos, yn rhinwedd ei swydd fel Ustus Heddwch. Honnid fod Rees Thomas o Flaenpennal wedi treisio Katherine Phillip o Flaenpennal, wedi ei llusgo i mewn i dŷ gwag tra oedd hi'n cerdded adref o briodas ym mis Mai y flwyddyn cynt. Roedd y ffaith fod yr achos wedi'i ddwyn o flaen y llys yn ddigwyddiad digon anghyffredin yn y cyfnod. Ond roedd Katherine yn ferch i Philip Pugh, bonheddwr a thirfeddiannwr, ac felly'n ffigwr digon pwysig o fewn y gymdeithas i fynnu achos o'r fath ar ran ei ferch.

Does dim gwybodaeth am benderfyniad y llys, ond cafwyd achos yn 1565 pan ddedfrydwyd Morgan ap Llewelyn, dyn o Garon, i'w grogi am dorri i mewn i gartref a threisio menyw. Prin iawn yw'r dystiolaeth am fywyd menywod Ceredigion cyn canol yr 16eg ganrif. Doedd dim hawl gan fenyw fod yn swyddog i'r goron, ond o'r ganrif honno ymlaen ceir rhyfaint o dystiolaeth am fywydau menywod yng nghofnodion y llysoedd, cofnodion y crwneriaid ac mewn ewyllysiau.

Mae achosion o enllib a lladrata ymysg achosion llys y cyfnod. Yn 1556 cyhuddwyd Eva, merch Ieuan o Landysul, o ddwyn nwyddau gan David ap Ieuan Deio. Tra gallai dyn bledio 'lles y glerigaeth' i'w amddiffyn, am ei fod yn gallu darllen, penderfynodd Eva ar yr unig ddewis oedd ar gael i

fenyw a phlediodd ei bod hi'n disgwyl plentyn. Roedd y gyfraith yn amharod i ddienyddio menyw feichiog, gan fod hynny'n golygu lladd y plentyn dieuog hefyd. Doedd hi ddim yn feichiog, fodd bynnag, ond does dim tystiolaeth a gafodd hi ei chosbi.

Er mor galed oedd bywyd i fenywod yn y cyfnod, ceir nifer o esiamplau mewn ewyllysiau o fenywod mwy llewyrchus y gymdeithas. Roedd Jane Vaughan o Aberteifi ymysg menywod mwyaf cyfoethog y sir. Bu farw ei gŵr ym mis Mai neu Fehefin 1649 ac etifeddodd Jane y fferm, siop lewyrchus a gofal pedwar mab ifanc. Roedd y siop yn gwerthu 29 math o ddefnydd, botymau, rhubanau, sbeisiau, olew morfil, powdwr drylliau, offer marchogaeth, halen a sebon ymysg cynnyrch arall, ac yn dilyn marwolaeth ei gŵr rhestrwyd y rhain yn ei hewyllys er lles ei meibion.

Ymysg y boneddigion roedd rhai o'r gwragedd gweddw yn gyfoethog tu hwnt. Un o'r rheiny oedd Gwen Pryse o Gogerddan a fu farw yn 1637, gan adael arian yn ei hewyllys i eglwysi lleol ac ar gyfer cynnal pont Aberystwyth. Bu Mary Lloyd o ystad Ynys-hir farw'n ddibriod, ond roedd ei hewyllys yn cynnwys manylion am £564 oedd allan ar fenthyciad, swm sylweddol yn y cyfnod. Ceir esiamplau amrywiol hefyd o roddion ewyllys er lles menywod, boed y rheiny'n wragedd neu'n ferched, gan gynnwys arian gwaddol ar gyfer merched dibriod, a symiau o arian ar gyfer gwragedd beichiog neu rhag ofn y byddai gwragedd yn dod yn feichiog yn sydyn wedi marwolaeth eu gwŷr.

Ar adegau roedd yr ewyllysiau hefyd er lles plant wedi'u geni y tu allan i briodas. Yn 1584 cyfeiriodd Rees Lewis o Droedyraur at 'my bastard son George Lewis, begotten on Anne daughter of Oates Ashurst, now my wife'. Ceir amryw esiamplau o ddynion yn cynnwys plant anghyfreithlon yn eu hewyllysiau, hyd yn oed pan oedd ganddynt blant cyfreithlon. Ymysg y plant anghyfreithlon mwyaf llewyrchus roedd Edward Lhuyd, mab llwyn a pherth i Edward Lloyd o Lanforda a Bridget Pryse o Lan-ffraid. Fe'i ganwyd yn 1660, ac er bod Lloyd yn briod talodd am addysg ei fab, a ddaeth yn un o ysgolheigion mawr ei gyfnod cyn ei farwolaeth yn 1709.

Yn 1647 priododd James Phillips o Briordy Aberteifi am yr eilwaith, y tro hwn â Katherine Fowler, merch i fasnachwr o Lundain. Roedd e'n 54 oed a hithau'n 16 oed. Daeth hi'n enwog fel 'the matchless Orinda', yn fardd ac awdures. A hithau'n rhannu ei chartref rhwng Llundain ac Aberteifi, hi oedd awdur y ddrama gyntaf gan fenyw a berfformiwyd ar lwyfan yn Llundain, sef cyfieithiad o ddrama gan Corneille. Bu farw yn Llundain yn 1664.

Roedd bywyd i ferched tlawd gwerinol yn gallu bod yn llawer mwy llwm, fel y tystia cofnodion Festri'r Plwyf o'r 18fed ganrif. Yn 1783 cytunodd Evan David i gymryd Lucretia John, merch heb dad, am gyfnod o ddeng mlynedd. Talwyd gini y flwyddyn iddo am y pum mlynedd cyntaf, ac wedi hynny disgwylid iddi weithio i dalu ei ffordd ei hun. Yn 1779, cymerodd William Davies o'r Nag's Head Inn yn Llanbed Mary Lloyd o ofal y plwyf, a'r plwyf yn talu tair gini y flwyddyn iddo i gynnal ei phrentisiaeth.

Yn yr un modd ag yn ystod y canrifoedd cynt, busnes y tirfeddianwyr cefnog oedd gwleidyddiaeth yn y 18fed ganrif. Rhwng 1754 ac 1790 doedd yna ddim un etholiad lle cafwyd dewis o ymgeiswyr ar gyfer sedd y sir. Tra oedd dynion rhydd o wahanol gefndiroedd yn cael pleidleisio dros sedd y fwrdeistref, dim ond tirfeddianwyr a oedd yn berchen tir gwerth 40 swllt a allai bleidleisio dros sedd y sir. Yn 1761 dim ond 952 unigolyn oedd yn gymwys ar gyfer y bleidlais hon. Teulu Pryse Gogerddan a theulu Vaughan Trawsgoed oedd yn tueddu i fod bwysicaf yng ngwleidyddiaeth y sir, tra oedd teulu Powell Nanteos hefyd yn chwarae rhan amlwg.

Ar adegau byddai ymddygiad y tirfeddianwyr yn creu difrod ym mywydau'r teuluoedd blaengar. Roedd John Vaughan o Drawsgoed, a fu farw yn 1741, yn hoff iawn o win port a gamblo. Gwariodd £800 ar feistresi, ac roedd ei ail wraig, Dorothy, yn gyrru coets a dynnid gan ddau gi mastiff.

Roedd poblogaeth y sir yn dal i dyfu, o 27,000 ar ddechrau'r ganrif i 32,000 yn 1750 a 42,956 erbyn 1801. Tyfodd anghydffurfiaeth hefyd, megis y twf mewn Methodistiaeth Galfinaidd dan arweiniad pregethwyr fel Daniel Rowland o Langeitho a Howell Harris o Sir Frycheiniog. Cafodd Daniel Rowland dröedigaeth wrth glywed Griffith Jones yn pregethu yn Llanddewibrefi yn 1735. Yn ei anterth byddai rhwng 2,000 a 4,000 o bobol yn mynychu ei wasanaeth cymun misol yn Llangeitho, a chydnabyddid Daniel Rowland yn areithiwr penigamp. Roedd Christmas Evans, y pregethwr unllygeidiog o Dregroes, yn un o bregethwyr mawr y Bedyddwyr. Dysgodd ddarllen yng Nghapel Llwynrhydowen, ac yna bu'n mynd i ysgol Dafydd Dafis yng Nghastell Hywel.

Yn y ganrif hon gwelir tystiolaeth hefyd o feddylfryd newydd yr Arminiaid, a oedd yn gwrthod cydnabod y syniad o bechod gwreiddiol ac yn honni bod gan ddynion ewyllys rydd. Yn dilyn syniadau'r Iseldirwr Jacobus Arminius, sefydlwyd y capel Arminaidd cyntaf yng Nghymru yn Llwynrhydowen gyda chefnogaeth Jenkin Jones o Lanwenog. Dilynwyd ef yn 1742 gan ei nai, David Lloyd, a oedd wedi mabwysiadu'r gred Arianaidd, a honnai nad oedd Iesu Grist yn fod duwiol. Datblygodd y traddodiad yn Undodiaeth, a gafodd ei gyfreithloni yn 1813.

Roedd Eglwys Loegr yng Nghymru yn dlawd yn y 18fed

ganrif, yn rhannol am fod taliad y ddegwm yn cael ei hawlio gan dirfeddianwyr yn amlach na'r glerigaeth. Mewn astudiaeth o esgobaeth Tyddewi yn 1721, dangosodd Erasmus Saunders fod dros dri chwarter y taliadau degwm yn cael eu hawlio gan drigolion preifat. Yn Llanddewibrefi roedd y ddegwm yn codi £400, ond dim ond £8 o'r taliad hwn oedd yn cyrraedd cynrychiolydd lleol yr eglwys.

Roedd y gallu i gael addysg yn ehangu yn sgil dyfodiad y wasg argraffu, ynghyd â syniadau radical. Isaac Carter a fu'n gyfrifol am y wasg sefydlog gyntaf yng Nghymru, a hynny yn Adpar yn 1718. Sefydlwyd ysgolion cynnar gan y Society for the Promotion of Christian Knowledge, y gyntaf yn y sir yn Esgair-hir yn 1700, a'r nesaf yn Llandysul yn 1727, lle bu Dr Thomas Pardo yn addysgu deg bachgen. Erbyn 1737 roedd Griffith Jones wedi cychwyn ar ei waith gydag ysgolion symudol, gan ddysgu'r werin i ddarllen, a hynny yn Gymraeg. Rhwng 1737 a'i farwolaeth yn 1761, cynhaliwyd 3,495 o ddosbarthiadau ac addysgwyd 158,237 o ddisgyblion yng Nghymru, yn ogystal â chynnal dosbarthiadau nos a oedd yn addysgu dwy neu dair gwaith yn fwy nag yn ystod y dydd, yn ôl Griffith Jones.

Datblygwyd adeiladau newydd yn nhrefi'r sir, gyda Neuadd y Sir yn agor yn Aberteifi yn 1764. Sefydlwyd Banc y Llong yn Aberystwyth yn 1762, ac yn 1763 symudwyd Tŷ'r Tollau o Aberdyfi i Aberystwyth. Daeth twristiaeth â ffrwd incwm newydd i Aberystwyth gydag ymwelwyr cyfoethog yn teithio i weld plasty a gerddi'r Hafod, rhaeadrau Pontarfynach ac adfeilion Ystrad Fflur.

Ar hyd yr arfordir daeth twf yn y diwydiant pysgota. Ar un noson yn 1745 glaniwyd 1,386,500 o sgadan yn Aberystwyth, ac roedd pysgota sgadan yn draddodiad pwysig yng nghymunedau Aberporth ac Aberteifi. Roedd

smyglo'n ffynnu, yn enwedig ar hyd cilfachau bychain de'r sir, er enghraifft, o gwmpas Cwmtydu, Ceinewydd, Penbryn ac Aberporth. Oherwydd y trethi uchel ar halen a oedd yn angenrheidiol i gadw bwydydd fel cig moch a physgod, roedd hon yn fasnach bwysig a byddai gwinoedd a diodydd cadarn yn cael eu smyglo o'r cyfandir. Ger Penbryn mae'r enw Cwm Lladron yn parhau i ddisgrifio'r cwm sy'n arwain at y traeth eang, heibio hen safle plasty diflanedig Llanborth. Yn ôl Gerald Morgan, ym Mhenbryn bu farw nifer o drigolion lleol yn 1817, a hynny ar ôl yfed gormod o'r gwin a oedd wedi'i olchi i'r lan yn dilyn llongddrylliad.

O blith y smyglwyr mae enw Sion Cwilt yn weledol hyd heddiw ar ffurf Banc Sion Cwilt. Dywedir fod Banc Sion Cwilt yn cynnwys y tiroedd uchel rhwng Talgarreg, Synod Inn, Llanarth a Mydroilyn. Magwyd fy mam ar ffarm Fron Llanarth, ac rwy'n cofio mynd gyda hi un diwrnod i weld adfeilion hen fwthyn gerllaw Ffarm Sarnau Gwynion lle trigai Sion Cwilt, yn ôl yr hanes. Bu'n byw yn yr ardal am ryw bymtheng mlynedd ac roedd ganddo wraig, mab ac ŵyr. Ceir cofnod am fedyddio John, mab Thomas John Gwilt, yng Nghofrestr Eglwys y Plwyf Llanarth ar 12 Mawrth 1758. Ceir cofnod am farwolaeth gwraig John Gwilt ar 3 Chwefror 1771. Dywedir ei fod o ardal Epynt yn wreiddiol a'i fod yn arfer mynd yno fin nos, ar adegau, i ddwyn defaid ei gymdogion gynt.

Roedd Thomas Johnes o blasty'r Hafod yn ffigwr allweddol wrth wella technegau amaethyddol y sir. Cyhoeddodd 'A Cardiganshire Landlord's Advice to his Tenants' yn 1800 a sicrhaodd fod cyfieithiad Cymraeg o'r testun ar gael. Gan bwysleisio technegau fel ffosydd i sychu'r tir, cylchredeg cnydau a nifer o syniadau newydd eraill, cyfrannodd at ddatblygiadau pwysig yn y maes, yn ogystal â phlannu dwy filiwn o goed ar ei ystad rhwng 1795 ac 1801.

Yr uchelwyr oedd yn rheoli Sir Aberteifi ar ddiwedd y 18fed ganrif, a'r ystadau mawrion a bychain yn berchen ar gyfran helaeth o'r tiroedd. Yr uchelwyr oedd yn gweinyddu'r gyfraith ac yn rheoli llywodraeth leol. I fwyafrif y boblogaeth doedd dim llawer o gyfle i wella'u byd, i fod yn eiddo ar dir, i bleidleisio na chael addysg ffurfiol.

Druid Inn, Goginan, 2013.
Lewis Johnston oedd yn rheoli'r dafarn yn 2013 pan enillodd wobr 'Tafarn y Flwyddyn Ceredigion' gan CAMRA am y bedwaredd waith o fewn ychydig o flynyddoedd. Yn 2014 enillodd wobr 'Tafarn y Flwyddyn Canolbarth a Gorllewin Cymru' am yr ail flwyddyn yn olynol.

Druid Inn, Goginan, 2013.
Lewis Johnston ran the pub in 2013, when it won CAMRA's 'Ceredigion Pub of the Year' award for the fourth time within a few years. In 2014 it won the prize for 'Pub of the Year Mid & West Wales' for the second year in a row.

Bryan 'Yr Organ' Jones, Gyrrwr Bws, Penrhyncoch, 2012.
Ei waith fel organydd capel sydd wedi rhoi'r enw iddo, ond erbyn hyn mae Bryan hefyd yn cyfrannu at raglenni BBC Radio Cymru. Yn 2012 daeth yn enwog pan rannodd ei fab, Owain, recordiad fideo ohono yn gweiddi nerth ei ben wrth gefnogi tîm rygbi Cymru ar wefan Facebook. Gwyliodd degau ar filoedd o bobol y clip, a gafodd ei alw 'The Mad Welshman'.

Bryan 'The Organ' Jones, Bus Driver, Penrhyncoch, 2012.
His nickname derives from his role as a chapel organist, but now he also contributes to programmes on BBC Radio Cymru. He shot to fame in 2012 when his son, Owain, shared a video of him on the Facebook website, howling like a man possessed as he supported the Welsh rugby team. Tens of thousands of people watched the clip, and he was dubbed 'The Mad Welshman'.

Elin Jones AC, Tregaron, 2013.
Yn ymyl cofeb Henry Richard yn Nhregaron. Roedd Elin yn awyddus i fi nodi bod porthmyn o Dregaron ymysg ei chyndeidiau. Bu'n Aelod Cynulliad gweithgar dros y sir ers 1999, a hi yw'r fenyw gyntaf i gynrychioli'r sir yn wleidyddol ar lefel genedlaethol.

Elin Jones AM, Tregaron, 2013.
Near Henry Richard's memorial in Tregaron. Elin was keen for me to note the fact that her forefathers were drovers from Tregaron. She has been a hard-working Assembly Member for the county since 1999, and is the first woman to represent the county politically at a national level.

Ceffylau Pantydefaid, Prengwyn, 2013.
Wrth yrru o Brengwyn i Rydowen fe welwch gae wrth ochr y ffordd sydd fel arfer yn llawn ceffylau o ffarm Pantydefaid. Dyma nhw'n cael eu symud i'r cae drws nesaf. Peter ac Ann Jones sy'n rhedeg Menai Stud, enillydd pymtheg rhuban yn Sioe Frenhinol Cymru 2015.

Horses from Pantydefaid farm, Prengwyn, 2013.
As you drive from Prengwyn to Rhydowen, there's a field on the side of the road which is usually full of Pantydefaid's horses. They are seen here being moved to an adjacent field. Peter and Ann Jones run Menai Stud, the winner of fifteen rosettes at the 2015 Royal Welsh Show.

Gwyneth Williams, Cigydd, Llandysul, 2012.
Sefydlwyd cwmni Ken Williams a'i Fab ar brif stryd Llandysul yn 1976. Mae Ken yn dal i ddosbarthu cig yn uniongyrchol i nifer o ffermydd lleol.

Gwyneth Williams, Butcher, Llandysul, 2012.
The company Ken Williams a'i Fab (Ken Williams & Son) was founded on Llandysul's main street in 1976. Ken still delivers meat directly to a number of local farms.

Maurice Keens-Soper a Wendy Earle, Capel Dewi, 2012.
Mae Maurice yn awdur llyfrau ar fater rhyfel niwclear, damcaniaeth ddiplomyddol a gwleidyddiaeth. Symudodd i orllewin Cymru ddeugain mlynedd yn ôl. Mae Wendy yn artist a cherflunydd. Gwelir un o'i cherfluniau yn y llun, ac mae'r tir o gwmpas eu cartref yn llawn o'i darnau celf, sydd hefyd yn gartref i bryfed, adar a bywyd gwyllt arall.

Maurice Keens-Soper and Wendy Earle, Capel Dewi, 2012.
Maurice is the author of books about nuclear conflict, diplomatic theory and politics. He moved to west Wales forty years ago. Wendy is an artist and sculptor. One of her sculptures can be seen in the picture and the land which surrounds their home is full of her artworks, which are also home to insects, birds and other wildlife.

Rock Mill, Capel Dewi, 2012.
Cafodd y felin hon ei hadeiladu ar lannau Clettwr o gwmpas 1895 gan hen dad-cu Donald Morgan, y perchennog presennol. Mae'n dal i gynhyrchu brethyn trwy hen ddulliau traddodiadol ac yn defnyddio olwyn ddŵr i droi'r peirianwaith.

Rock Mill, Capel Dewi, 2012.
The mill was built on the banks of the Clettwr around 1895 by the great-grandfather of the present owner, Donald Morgan. It still produces cloth by traditional skills using a water wheel to turn the machinery.

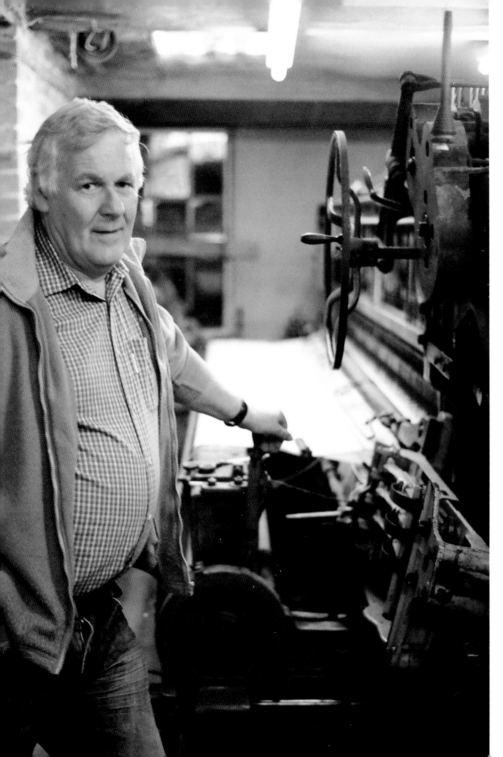

Donald Morgan, Perchennog Melin Rock Mill, Capel Dewi, 2013.
Donald 'Rock' yw ei enw i'r trigolion lleol, yn fab i Dai 'Rock' a Megan 'Rock'. Mae camu i mewn i'r felin fel camu'n ôl ganrif.

Donald Morgan, Owner of Rock Mill, Capel Dewi, 2013.
He is called Donald 'Rock' by the locals and is the son of Dai 'Rock' and Megan 'Rock'. Stepping into the mill is like stepping back a century in time.

Capel Soar y Mynydd, Elenydd, ger Llanddewibrefi, 2012.
Adeiladwyd y capel gan y Methodistiaid Calfinaidd yn 1822.

Soar y Mynydd Chapel, Elenydd, near Llanddewibrefi, 2012.
The chapel was built by the Calvinist Methodists in 1822.

Len 'Fish' Smith, Llandysul, 2011.
Mae ei fan i'w gweld o gwmpas de'r sir ers dros ddeng mlynedd ar hugain, yn gwerthu pob math o bysgod ffres i'w gwsmeriaid.

Len 'Fish' Smith, Llandysul, 2011.
His van can be seen around the southern part of the county. He's been selling fresh fish to his customers for over thirty years.

Caffi Sgadan, Aberporth, 2013.
Caffi Sgadan café, Aberporth, 2013.

Trotian, Rasus Talgarreg, 2014.
Trotting, Talgarreg Races, 2014.

Taith y Cardi

Ar ddechrau'r 19eg ganrif, Aberteifi oedd un o borthladdoedd mwyaf llewyrchus Cymru. Roedd y Swyddfa Dollau yn gweinyddu'r fasnach fôr rhwng Abergwaun ac Aberarth. Adeiladwyd dros 200 o longau yn y porthladd hwn ac yn Llandudoch ar yr ochr arall i afon Teifi. Yn 1815 cofrestrwyd 314 o longau yn Aberteifi, saith gwaith yn fwy na Chaerdydd a thair gwaith yn fwy nag Abertawe. Yn 1837 roedd pedwar gof yn Aberteifi a chwmnïau Bridge End Foundry a Bailey's Foundry yn gwasanaethu'r diwydiant adeiladu llongau. Roedd yna dri gwneuthurwr rhaffau, tri gwneuthurwr hwyliau a 55 o dafarndai.

Yn ei anterth roedd y porthladd yn allforio eogiaid a sgadan, llechi o Gilgerran, rhisgl deri, cwrw ac ŷd ac yn mewnforio deunyddiau coginio, orenau o Sbaen, glo a deunyddiau adeiladu. Roedd ffatri frics yn y dref a gweithfeydd plât tun yn Llechryd. Dirywiodd y porthladd erbyn diwedd y ganrif, yn sgil datblygu llongau ager a'r rheilffordd, a dim ond 111 o longau oedd wedi'u cofrestru ym mhorthladd Aberteifi erbyn 1870.

Yn 1869 ffurfiwyd y Cardigan Steam Navigation Co. Eu llong gyntaf oedd y *Tivyside* a adeiladwyd ar afon Clud ac a fyddai'n masnachu rhwng Aberteifi a Bryste unwaith yr wythnos. Yn 1876 cyflwynwyd y *Sea Flower* gan gwmni newydd y Commercial Steam Navigation Co. Ond erbyn dechrau'r 20fed ganrif roedd y diwydiant hwn hefyd wedi dirywio a gwerthwyd llong ager olaf y dref, y *Sea Flower*, yn 1904.

Tan y 18fed ganrif, pysgota sgadan oedd prif nodwedd porthladd Aberystwyth. Roedd pentwr o gerrig a thywod yn cronni o gwmpas ceg y porthladd ac yn ei wneud yn anaddas ar gyfer llongau mawr. O'r 1780au ymlaen bu ymdrechion i glirio'r *bar*, ac yn 1830 adeiladwyd pier o gerrig ac ailgyfeirio afon Rheidol ac afon Ystwyth er mwyn clirio'r banc. O gwmpas canol y ganrif roedd y gweithfeydd plwm yng ngogledd Ceredigion ar eu prysuraf, ac yn 1851 roedd 10,500 tunnell o fwyn plwm ymhlith y 13,000 tunnell o gynnyrch a gafodd ei allforio o'r porthladd. Erbyn 1864 roedd y trên wedi cyrraedd Aberystwyth, ac yn sgil hynny a'r dirywiad yn y galw am blwm yr ardal, bu cwymp mawr ym masnach y porthladd rhwng 1860 ac 1880. Allforiwyd 2,385 tunnell o fwyn plwm yn 1880, a dim ond 700 tunnell yn 1890.

Datblygodd twristiaeth yn Aberystwyth yn ystod y 19eg ganrif, gyda'r Marine Baths yn cael eu hadeiladu yn 1810 a'r Assembly Rooms yn 1820. Pan ddaeth y rheilffordd i Aberystwyth yn 1864 bu twf yn niferoedd y twristiaid mwy gwerinol o dde Cymru a chanolbarth Lloegr. Agorodd y pier yn 1864, yn 800 troedfedd o hyd, ac ar ddydd Gwener y Groglith talodd 7,800 o bobol am yr hawl i rodio ar hyd yr atyniad newydd hwn. Chwalwyd 100 troedfedd ohono mewn storm yn Ionawr 1865, a diflannodd tua hanner y rhodfa mewn storm arall yn 1938. Tua 300 troedfedd o hyd yw'r pier heddiw.

Dyma'r ganrif pan ddatblygodd masnach fôr y sir i'w hanterth. Rhwng 1807 ac 1811 adeiladwyd porthladd Aberaeron. Cyn hynny roedd Llanddewi Aberarth yn bwysicach nag Aberaeron. Y Parchedig Alban Thomas Jones Gwynne a fu'n gyfrifol am ariannu'r datblygiad newydd a thyfodd tref fodern o gwmpas y porthladd. Erbyn 1850 roedd 23 o weithwyr yn adeiladu llongau yno a'r rheiny'n teithio'n rheolaidd i Lerpwl a Bryste. Daeth diwedd ar dwf y porthladd gyda dyfodiad y trên cyntaf o Lanbedr Pont Steffan yn 1911.

Roedd diwydiant adeiladu llongau llewyrchus yng Ngheinewydd, a chafodd tua 200 o longau eu hadeiladu ar lannau Ceinewydd, Traeth-gwyn a Chei Bach. Cyn y ganrif hon dim ond rhyw gnewyllyn o fythynnod to gwellt oedd yn yr ardal, ond yn 1835 adeiladwyd y cei cyntaf, a gostiodd £7,000 i gyd. Erbyn yr 1840au roedd tua 300 o weithwyr yn adeiladu llongau yng Ngheinewydd, gan gynnwys llongau a fyddai'n teithio i Ogledd a De America, Tsieina ac Awstralia. Dirywiodd y diwydiant yn yr 1870au, ond yn 1865 roedd 37 perchennog yn gyfrifol am fusnes 89 o longau.

Yn Aberporth roedd llongau'n glanio ar Draeth y Llongau. Roedd yn un o'r prif ganolfannau pysgota sgadan yng Nghymru, a pharhaodd y diwydiant hyd tua 1914. Wrth i longau ager gymryd lle llongau hwylio aeth porthladdoedd bychain y sir yn anaddas. Aeth rhai o drigolion Aberporth i sefydlu cwmnïau newydd yng Nghaerdydd. Aeth y ddau

frawd-yng-nghyfraith James a David Jenkins yno yn 1898 a sefydlu busnes gyda 7 llong. Y mwyaf llwyddiannus oedd Evan Thomas, a fu mewn partneriaeth â Henry Radcliffe o Ferthyr. Roedd y cwmni'n berchen ar 35 o longau erbyn 1914. Roedd 12 capten o Geredigion a gogledd sir Benfro yn gweithio ar 18 o longau oedd yn eiddo i'r cwmni yn 1890.

Yn debyg i Aberaeron, doedd yna fawr o ddim yn Nhresaith cyn y ganrif hon, dim ond Tafarn y Ship ac un bwthyn to gwellt. Y teulu Parry oedd yn berchen y dafarn, ac roedd y teulu yn berchnogion llongau o tua 1830 i 1905. Adeiladwyd y llong gyntaf, y *New Hope*, yn 1827 a hynny ar draeth Tresaith. Llongau *smac* bychain un hwyl oedd y rhain, yn mewnforio glo, cwlwm (*clum*), sef math israddol o lo, a charreg galch. Tyfodd y pentref tua diwedd y ganrif wrth i'r diwydiant twristiaeth ddatblygu.

Fel oedd yn wir yn Aberystwyth, lle roedd y *bar* cerrig yn berygl cyson i longau, roedd aber afon Teifi yn dwyllodrus. Drylliwyd y *Margaret Lloyd* ar 25 Hydref 1859. Llong o Aberystwyth a fyddai'n cludo llechi oedd hon, ac roedd bai ar harbwrfeistr Aberteifi am ei thranc am nad oedd golau'r harbwr yn cael ei gynnal y noson honno. A hithau heb fedru darganfod cilfach yn Aberteifi, teithiodd yn ôl i'r môr agored a suddwyd hi ger Ynys Aberteifi. Bu farw'r pedwar morwr ar fwrdd y llong.

Erbyn 1861, pan aeth y *Dewiwyn* o Gaernarfon i drafferthion, roedd Gwasanaeth Bad Achub wedi'i sefydlu ger Castell Penrhyn, wrth ymyl Gwbert. Achubwyd wyth morwr oddi ar y llong, a gafodd ei dal ar fanc twyllodrus yn yr afon, y tro cyntaf i'r bad achub gael y cyfle i brofi ei werth. Ar fore 19 Tachwedd 1875 achubwyd pum morwr oddi ar y llong *Johanna Antoinette* a oedd yn teithio o Rotterdam i Lisbon gyda llwyth o gin. Achubwyd y rhan fwyaf o'r gin, ond dywedir fod pobol leol wedi darganfod poteli ohono ar hyd y lan am fisoedd ar ôl y ddamwain. Yn ôl adroddiad yn y *Cardigan & Tivy-side Advertiser* yn 1927 roedd Tom Williams wedi darganfod potel o'r gin hwn yn y tywod yr wythnos flaenorol, dros hanner can mlynedd ar ôl y ddamwain.

Y llong fwyaf a ddrylliwyd oedd yr *SS Herefordshire* a oedd yn 452 troedfedd o hyd. Bu'n morio am dri degawd, yn teithio i India, Burma a Sri Lanka. Roedd hi ar ei ffordd i afon Clud yn 1934 i gael ei chwalu pan suddodd ger Ynys Aberteifi. Dihangodd y pedwar morwr o Glasgow i'r ynys, ond cafodd y llygod mawr ar y llong syniad tebyg iddynt, a difethwyd y boblogaeth adar pâl ar yr ynys. Bu pobol wrthi am chwe deg mlynedd wedi hynny yn ceisio cael gwared â'r llygod ar yr ynys.

Yn 1706 drylliwyd y *King Charles the Third* ger Llanon, gyda llwyth o 19,300 o orenau a lemonau a hanner tunnell o win o Bortiwgal. Roedd y llwyth ar ei ffordd i'r Arglwydd Lisburne ym mhlasdy Trawsgoed. Nid llongau o bell oedd yr unig rai i suddo. Roedd yr *Unity* o Aberystwyth yn teithio adref yn ystod oriau mân y bore ar Hydref 26ain, 1824 pan suddodd ar y *bar* ger porthladd Aberystwyth. Collodd y saith pysgotwr lleol eu bywydau.

Mae'r llyfr *Aber-porth Chronicle* yn rhestru enwau 74 o ddynion y pentref a gollodd eu bywydau ar y môr yn y 19eg ganrif. Roedd rhai'n bysgotwyr lleol, ond collodd nifer ohonynt eu bywydau ymhell o'r sir. Yn 1846 boddwyd John Evans o Ddolgelynen ger Rouen, Ffrainc ac yn 1852 boddodd David Thomas yn y Môr Du. Bu farw Samuel Jones yn Melbourne, Awstralia yn 1862, ac yn 1873 boddwyd John Davies Pencastell 40 milltir o Coruna yn Sbaen. Yn ystod yr 1920au a'r 1930au cynnar roedd 30 capten llong ar lyfrau'r Hen Gapel yn Aberporth.

Er bod y diwydiant môr yn cynnig cyflogaeth, roedd yn fywyd peryglus, fel y gwelir yn hanes meibion Joseph Jenkins, morwr o Langrannog a fu farw yn 1904. Boddwyd John ger Rio de Janeiro yn 1885, James ar daith o Java i Queenstown yn 1887, Joseph ger Ynysoedd Scilly yn 1893 a bu farw David yn Llangrannog yn 1894. Yn 1900 roedd tua 90% o ddynion Llangrannog yn gweithio yn y diwydiant môr.

Ffigwr allweddol yng nghymdeithas Llangrannog oedd Sarah Jane Rees, neu Cranogwen. Fe'i ganwyd yn 1839 a chafodd ei haddysg gynnar yn ysgol Sul y capel. Pan oedd yn 13 oed cafodd ei danfon i Aberteifi i ddysgu gwneud ffrogiau, ond daeth yn ôl i Langrannog yn fuan a bu'n gweithio ar long ei thad, a oedd yn gapten ar y môr. Yn 1854, a hithau'n 15 oed, aeth yn ôl i'r ysgol, gan ddysgu Lladin a morwriaeth a chael tystysgrif meistr morol. Yn 1860 aeth yn athrawes i Ysgol Pontgarreg. Rhwng 1878 ac 1891 hi oedd golygydd *Y Frythones*, cylchgrawn Cymraeg i fenywod, a bu'n weithgar dros hawliau menywod ac yn amlwg yn y mudiad dirwestol.

Roedd hi'n fenyw anghyffredin, gan mai eilradd oedd statws menywod o hyd. Byddai merched ifainc yn cael eu hanfon i weithio ar ffermydd ac ystadau. Byddai nifer yn cael eu treisio. O'r achosion o dreisio yng nghofnodion ystad Llidiardau yn Nyffryn Ystwyth o'r cyfnod, merched dan ugain mlwydd oed oedd y cyfan, a dim ond 13% o'r dynion a gafwyd yn euog. Cyhuddwyd Simon Fraser, cipar ar ystad Gogerddan, o dreisio merch 13 oed, ond ni chafodd erioed ei ddedfrydu. Yn 1866 cyhuddwyd Evan Davies o dreisio Sarah James, merch 11 oed, ond gollyngwyd yr achos am fod y ferch wedi 'camymddwyn yn rhywiol' rai blynyddoedd cyn hynny. Hyd at 1842 crogwyd unrhyw ddyn a gafwyd yn euog o dreisio ac nid oedd y rheithgorau, yn ddynion i gyd, yn awyddus i gosbi'r cyhuddiedig.

Roedd yr uchelwyr yn aml yn cynnal perthynas â'u morwynion. Dywedir fod Thomas Lloyd o blasty Coedmor, a fu farw yn 1857, wedi cyflogi nifer o'i blant anghyfreithlon fel gweision a morwynion. Mewn llythyr at ei frawd, Posthumus Lloyd, ar 13 Mehefin 1760 mae'r Parchedig David Lloyd Brynllefrith yn cyfeirio at Thomas David John o Ffarm Cwrt, Cwrtnewydd:

'You may remember to have heard when in ye country that Thomas David John of Court Newydd kept a Miss... by ye name of Mary Ty'n-y-Ffordd, alias Mary Ty'n-y-parc. He has had by this woman 3 or 4 children (besides supposed miscarriages), whom he used to convey to Nurses at a Distance, and ye old woman his wife never the wiser.'

Mae dyddiaduron y sgweier Rees Thomas o blastai Dôl-llan a Llanfair ger Llandysul, ar ddiwedd y 19eg ganrif, yn olrhain ei hanes anweddus gyda'i forwynion, gan gynnwys ceisio erthylu baban un ohonynt, ac yna sicrhau taliad i gynnal y plentyn yn ystod blwyddyn gyntaf ei oes pan fethodd ei ymdrechion.

Roedd tlodi enbyd yn y sir ar ddechrau'r 19eg ganrif, yn dilyn rhyfel gyda Ffrainc a dirywiad y diwydiant amaethyddol. Syrthiodd prisiau yn 1813 a cafwyd cynhaeaf gwael yn 1816 gan arwain at brinder bwyd y flwyddyn ganlynol. Yn 1817 cerddodd tlodion o ogledd y sir i Gaerfyrddin, taith o 40 neu 50 milltir, i gardota am fwyd. Aeth milwyr o Aberteifi i Aberystwyth yn 1816 i ddarllen y Riot Act, ar ôl i dorf ymosod ar swyddogion oedd yn casglu eiddo gan ddyn mewn dyled.

Crëwyd nifer o'r caeau sy'n bodoli heddiw yn y cyfnod hwn. Ar ddiwedd y 18fed ganrif roedd cyfran helaeth o'r tir ffarmio yn dir agored. Mae map o ystad Castell Hywel ger Pontsiân o 1795 yn dangos mai dim ond traean o'r tir oedd yn gaeau gyda chloddiau, ond erbyn 1886 mae'r map

Ordnance Survey yn dangos bod yr ardal i gyd wedi'i hamgáu. Cyn cyfnod y cloddiau roedd angen bugeiliaid i ofalu am yr anifeiliaid, ond trawsnewidiwyd y tir a'r galw am fugeiliaid pan grëwyd caeau.

Yn yr 1840au bu Merched Beca yn protestio yn erbyn y tollbyrth a welid ar y ffyrdd tyrpeg. Sefydlwyd y mwyafrif o'r ffyrdd tyrpeg yn 1770. Roedd un yn ymestyn o Aberteifi i Aberystwyth, ac un arall o Aberteifi i Dregaron trwy Lanbed. Ceid un o Lanbed i Aberaeron, ac un rhwng Aberystwyth a Chwmystwyth. Ychwanegwyd ffordd dyrpeg o Aberystwyth heibio i Bonterwyd yn 1812. Oherwydd fod tir Ceredigion yn asidig roedd calch yn adnodd pwysig er mwyn trin y tir. Roedd calch yn cael ei fewnforio i bentrefi'r arfordir ar y môr o Sir Gaerfyrddin a Sir Benfro, ond roedd ffarmwyr ardaloedd gwledig y sir yn gorfod talu tollau er mwyn casglu eu calch o'r canolfannau lleol, a gwaethygwyd y sefyllfa gan gynaeafau gwael rhwng 1837 ac 1841.

Cychwynnodd yr ymgyrch yn erbyn y tollbyrth yn Efailwen yn Sir Gâr ym Mai 1839, ac yna dinistriwyd y tollborth eto ar Fehefin y 6ed. Chwalwyd iet yn Llanboidy ychydig ddyddiau wedi hynny. Yng Ngheredigion cafodd clwyd tollborth Tregaron, ar y ffordd i Lanbed, ei thaflu i afon Teifi yn 1841. Ym Mehefin 1843 dinistriwyd y clwydi o gwmpas Aberteifi, ar y ffyrdd i Aberaeron a Llangoedmor. Mewn ymateb lleihaodd y Cardigan Trust y tollau ym mis Gorffennaf, ond er hynny dinistriwyd clwydi Pensarnau a Rhyd-y-fuwch yn Aberteifi ar Orffennaf y 9fed. Ar Awst y 1af dinistriwyd pum tollborth yn ardal Llanbed, a'r noson ganlynol cafodd tollbyrth Aberaeron eu chwalu. Yn Hydref 1843 cafodd John Hughes, un o'r arweinwyr, ei anfon i Awstralia am ugain mlynedd. Cafodd dwy arall o'r 'merched' eu hanfon yno am saith mlynedd.

Nid y tollbyrth oedd unig darged Merched Beca. Cyn 1836 byddai'r ddegwm i'r Eglwys yn cael ei thalu mewn nwyddau, ond wedi hynny roedd yn rhaid talu ag arian a byddai'r swm yn uwch na'r taliad cyfatebol cynt. Cipiwyd y Beibl teuluol oddi wrth un dyn ym mhlwyf Penbryn am iddo wrthod talu, a chafodd y ficer lleol ei fygwth gan Ferched Beca. Torrwyd asennau curad plwyf Llangrannog ar ôl iddo gynnig tystiolaeth i'r ynadon. Ym Medi 1843 cafodd cored eog yn Llechryd ei dinistrio. Ym mhlwyf Llandysul yn 1843 ymosodwyd ar ffarmwr am fod y bobol leol yn teimlo iddo gael ffarm nad oedd ganddo hawl iddi.

Cyflwynwyd Deddf yr Arglwydd Cawdor yn Awst 1844, gan sicrhau bod y tollau'n gyfartal mewn gwahanol ardaloedd. Hanerwyd y tollau ar lwyth o galch a daeth diwedd i'r helyntion. Parhaodd y tollbyrth tan Ebrill y 1af, 1889 pan ddiddymwyd y system yn gyfan gwbwl, a daeth gofal y ffyrdd yn ddyletswydd i'r Cyngor Sir.

Ehangodd anghydffurfiaeth, fel y gwelir yn ffigyrau Cyfrifiad 1851. Roedd 77.5% o'r boblogaeth yn anghydffurfwyr, a 22.5% o'r boblogaeth yn mynychu Eglwys Loegr. Roedd 6% yn Fethodistiaid Wesleyaidd a nifer o'r rheiny yn y gweithfeydd mwyn yng ngogledd y sir. Y Methodistiaid Calfinaidd oedd y gyfran fwyaf, yn 38% o'r boblogaeth. Roedd llawer o'r rhain yng ngogledd a dwyrain y sir. Deheudir y sir oedd canolfan y Bedyddwyr, a oedd yn 8% o'r boblogaeth, a'r Annibynwyr yn 22%. Yn ne'r sir hefyd roedd yr Undodwyr. Er mai dim ond 3% o'r boblogaeth oedd y rhain, cafodd eu canolfan rhwng Llanbed a Llandysul yr enw 'y smotyn du'.

Cafodd crefydd ddylanwad ar ddatblygiadau addysgiadol. Yn 1820 sefydlodd Dr Thomas Phillips ysgolion Castellhywel a Neuadd-lwyd er mwyn hyfforddi dynion ar gyfer swyddi crefyddol. Roedd y Parchedig David Evans yn cynnal ysgol yn Llandysul ac roedd yna ysgol ramadeg yn Rhydowen.

Sefydlwyd y brifysgol gyntaf yng Nghymru yn 1822, pan gafodd yr Esgob Burgess dir yn Llanbed gan J S Harford o Falcondale. Roedd myfyrwyr yn lletya ar y safle am y tro cyntaf yn 1827, a 36 o'r 64 hynny yn feibion ffarm. Daeth gemau criced i'r coleg yn yr 1850au, yna'r sefydliad rygbi cyntaf yng Nghymru yn yr 1860au, a dechreuwyd chwarae pêl-droed yno yn 1887.

Erbyn Deddf Addysg 1870 roedd y Llywodraeth yn cefnogi ysgolion cynradd lle nad oedd addysg ddigonol yn bodoli. Roedd 54 o'r rhain yn y sir erbyn 1878 a sefydlwyd yr ysgol uwchradd gyntaf yn y sir yn Llandysul yn 1895. Sefydlwyd Coleg Prifysgol Cymru yn Aberystwyth yn 1872, gyda 26 o fyfyrwyr. Derbyniwyd merched o 1884 ymlaen, ac erbyn 1900 roedd 474 o fyfyrwyr yn Aberystwyth.

Yn yr un modd â'r diwydiant môr, cafodd dyfodiad y trên effaith ar amaethyddiaeth a diwydiannau gwledig yr ardal. Daeth Rheilffordd Cambrian o'r gogledd i Aberystwyth yn 1864, a chysylltwyd y rheilffordd o Lanbed a Thregaron â'r dref yn 1867. Daeth y trên i Landysul yn 1864, i Aberteifi o Hendy-gwyn yn 1886 ac i Gastell Newydd Emlyn yn 1895. Adeiladwyd rheilffordd yn cysylltu Llanbed ac Aberaeron yn 1911. Un o'r canlyniadau mwyaf trawiadol oedd y gallu i drosglwyddo pysgod ar hyd y ffordd haearn, gyda hanner tunnell o eogiaid yn cael eu dal a'u symud o ran ddeheuol afon Teifi i Lundain a threfi eraill mewn un diwrnod yn ystod haf 1883.

Roedd gorsafoedd fel Felindyffryn, ger Trawsgoed, a Caradog Falls ac Allt-ddu, rhwng Aberystwyth a Thregaron, yn cysylltu ardaloedd diarffordd Ceredigion â'r byd allanol. Roedd gorsaf Cyffordd Aberaeron yn cysylltu'r brif reilffordd â Silian, Talsarn, Felinfach ac Aberaeron. 'Halt' oedd enw lleoliadau llai fel Talsarn a Blaenplwyf, a byddai'r trên yn stopio yng nghanol y wlad heb orsaf ffurfiol. Ystrad oedd enw gwreiddiol gorsaf Felinfach, ond cafodd pentref Ystrad Aeron ei lyncu'n raddol gan Felinfach wrth i'r pentref newydd hwnnw dyfu o gwmpas yr orsaf. Roedd y rheilffordd yn croesi afon Teifi ger Llanbed ac yn rhedeg ar hyd glan ddeheuol yr afon, heibio i Lanybydder a Maesycrugiau i Fryn Teifi, yr orsaf yn Llanfihangel-ar-Arth. O Bencader roedd y trên yn parhau tuag at Gaerfyrddin neu'n troi i'r gorllewin, tua Llandysul, Pentrecwrt a Chastell Newydd Emlyn.

Rhwng 1801 ac 1851 cynyddodd poblogaeth y sir o 42,956 i 70,796, gan gyrraedd uchafbwynt o 73,441 yn 1871. Yna daeth cwymp sydyn, gyda dim ond 61,078 o drigolion erbyn 1901. Digwyddodd y twf yn rhannol oherwydd i fwynwyr o Loegr symud i ogledd y sir, ac am fod safonau byw yn gwella. Roedd mwy o fwyd, ac roedd cyflwr y tai'n gwella, a diolch i ddatblygiad meddyginiaethau roedd llai o farwolaethau.

Bu dirywiad mewn niferoedd wedi hynny am fod yna brinder tir y gallai'r boblogaeth gynyddol ei drin, ac wrth i'r diwydiant gweithfeydd mwyn ddirywio tua diwedd y ganrif. Bu twf mawr yn y gweithfeydd rhwng 1840 ac 1870, yn dilyn y dirywiad a fu ers diwedd rhyfeloedd Napoleon yn 1815. Erbyn diwedd y cyfnod llewyrchus, roedd y gwythiennau gorau yn darfod ac roedd mwyn rhatach ar gael o Sbaen, America ac Awstralia. Gostyngodd y pris o £15 y dunnell yn 1873 i £7 y dunnell yn 1884.

Roedd bron i gant o weithfeydd mwyn yn cloddio'r tir i'r dwyrain o Aberystwyth, yn bennaf rhwng afon Dyfi a Chwmystwyth. Roedd nifer sylweddol o gwmpas Goginan a Chwmsymlog, a thodd-dŷ ym Mhontarfynach a gweithfeydd pwysig eraill yn Esgair-mwyn, Bryn-yr-afr, Fron-goch, Cwmystwyth, Logau-las a'r Glog-fawr. Wrth i bris plwm ddisgyn, cynhaliwyd rhai gweithfeydd i godi sinc, ond erbyn 1931 roedd pob gwaith wedi cau.

Bu dirywiad ym mhoblogaeth ardaloedd gwledig Llanrhystud, Tregaron, Aberaeron, Llanbed a Glanteifi rai degawdau cyn y dirywiad yn ardal y gweithfeydd mwyn. Yn ardal ddiwydiannol y gweithfeydd parhaodd y mewnfudo am rai degawdau, gyda gweithwyr yn dod yn bennaf o Gernyw a Dyfnaint. Yn 1851 roedd 222 o weithwyr o Gernyw yn ardal Aberystwyth. Cychwynnodd y dirywiad yng ngweddill y sir o tua 1850 ymlaen, ond parhaodd poblogaeth gogledd y sir i ddyfu tan tua 1870.

Er hynny, parhaodd y twf yn Aberystwyth ac Aberteifi. Yr ardaloedd gwledig amaethyddol a'r pentrefi o gwmpas y gweithfeydd mwyn a welodd y dirywiad mwyaf sylweddol. Roedd technoleg newydd fel peiriannau dyrnu a lladd gwair yn golygu bod angen llai o weithwyr amaethyddol, ac aeth nifer gynyddol o'r boblogaeth i chwilio am waith y tu hwnt i'r sir. Yn 1851 aeth 1,327 o bobl a anwyd yng Ngheredigion i Sir Gâr a Sir Benfro, 4,786 i dde-ddwyrain Cymru ac 1,488 i Lundain. Rhwng 1795 ac 1860 aeth 5,556 o drigolion Ceredigion i America, a'u hanner bron yn ymfudo rhwng 1841 ac 1850. Mae sôn am un llong yn gadael Llanrhystud gyda 250 o drigolion Blaenpennal arni.

Ymysg y disgynyddion Americanaidd o Geredigion roedd Llewelyn Morris Humphreys a anwyd yn Chicago yn 1899. Roedd yn adnabyddus fel 'Murray the Hump', a daeth yn enwog fel 'gangster' gan gyflwyno'r arfer o 'lanhau' arian anghyfreithlon. Ef fu'n gyfrifol am gyflwyno gamblo i dalaith Nevada. Roedd ei fam, Ann Humphreys, yn dod o lethrau Pumlumon yng ngogledd y sir. Cafodd Frank Lloyd Wright, y pensaer, ei eni yn Wisconsin ym Mehefin 1867. Ei fam oedd

Anna Lloyd Jones a gafodd ei geni yng Ngorffennaf 1838, yn bumed plentyn i Richard a Mary Jones, tenantiaid ar ffarm Blaenalltddu, ger Pontsiân.

Cosbid drwgweithredwyr yn llym yn y 19eg ganrif. Ar Ebrill y 4ydd, 1827 cafwyd crwydryn o'r enw William Andrews yn euog o ddwyn dillad o dŷ yn Aberporth. Cyfaddefodd i'r drosedd gan honni na fyddai'r dillad yn addas i neb ond trempyn. Fe'i crogwyd yng Ngharchar Aberteifi. Cafodd rhai troseddwyr o Aberteifi eu cludo i Awstralia, a gyrrwyd Thomas Clocker i Botany Bay am weddill ei oes yn 1827. Yn 1828 cafodd William Jones ei anfon i Awstralia ar ôl dwyn ceffyl. Yn 1801 cafwyd William Lewis o blwyf Llandysul yn euog o ddwyn dafad, ac aeth i New South Wales am weddill ei oes. Cafwyd Eleanor James yn euog o ddwyn dillad o gartref Ann Thomas yn Nhremain yn 1822 a chafodd ei chludo i Hobart, Tasmania, yn Rhagfyr 1823.

Un arall a aeth yno oedd Joseph Jenkins, ffarmwr llewyrchus o Drecefel, Tregaron, a deithiodd i Awstralia yn Rhagfyr 1868. Dihangodd Joseph o'r aelwyd deuluol pan oedd yn 51 oed. Teithiodd o gwmpas Awstralia yn chwilio am waith, a phan ddychwelodd i Gymru roedd yn 76 oed.

Cyflwynwyd Deddf Cynrychiolaeth y Bobl yn 1867, a chynyddodd y nifer a fedrai bleidleisio am sedd y sir o 3,520 i 5,115. Cynhaliwyd etholiad 1868 ym mis Tachwedd, ac am fod nifer o denantiaid wedi pleidleisio yn erbyn ewyllys eu meistri, trechwyd Edmund Mallet Vaughan, ymgeisydd y Ceidwadwyr, gan E M Richards, y Rhyddfrydwr. Yng ngeiriau T Llew Jones yn ei lyfr *O Dregaron i Bungaroo*:

'Fe ddioddefodd rhai o'r tenantiaid yn arw iawn am herio eu meistri. Yn ne sir Aberteifi fe gafodd un ar ddeg o ffarmwyr ar stadau Alltrodyn a Llanfair eu troi allan o'u ffermydd am bleidleisio i Richards, ac fe gafodd Undodiaid Llwynrhydowen eu troi o'u capel gan Sgweier Alltrodyn am fod eu gweinidog, yr enwog Gwilym Marles, wedi mentro siarad o blaid y Rhyddfrydwr.'

Bu'r etholiad yn frwydr dreisgar. Apwyntiwyd 100 o gwnstabliaid rhan-amser i gadw'r heddwch yn Aberystwyth, ond ymosodwyd ar *valet* Vaughan yn yr orsaf, a ffodd hwnnw i'r Cambrian Vaults am loches. Torrwyd ffenestri asiant Vaughan yn Heol y Wig. Gwaeddodd un Tori 'Vaughan for ever', a chael ei gicio yn ei wyneb am wneud. Bu bron iddo golli ei fys bawd wrth i rywun ei gnoi.

Yn dilyn ymchwiliad cafwyd 43 enghraifft o denantiaid yn cael eu 'troi mas' o'u cartrefi yn dilyn yr etholiad, gan arwain at Ddeddf y Bleidlais Gudd yn 1872. Ymysg yr Aelodau Seneddol a fu'n brwydro am y bleidlais gudd roedd Henry Richard, yr 'Apostol Heddwch' o Dregaron, Aelod Seneddol Rhyddfrydol Merthyr Tudful.

Sefydlwyd Pwyllgor Hartingdon gan y Llywodraeth i ymchwilio i'r sefyllfa. Rhoddodd Thomas Harries o Lechryd dystiolaeth fod y perchnogion tir wedi erlid 30 o denantiaid o'u cartrefi, gan gynnwys teulu a fu'n byw ar y ffarm am bedair canrif. Ymysg y tenantiaid roedd Thomas Morgan o Dynffordd, Llanfihangel-y-Creuddyn, yn 60 oed ac wedi'i fagu ar y ffarm a oedd yn eiddo i'r Cyrnol Powell o Nanteos. Honnir fod asiant yr Iarll Lisburne o Drawsgoed wedi bygwth y Parchedig David Davies o Fethania, ac wedi ei orfodi i adael ei ffarm ar ôl iddo gefnogi'r Rhyddfrydwr. Yn ogystal â cholli'r etholiad, collodd Trawsgoed brif gipar yr ystad, Joseph Butler, pan saethwyd hwnnw gan William Richards o Gefncoch, Trefenter. Cynigiodd yr Iarll Lisburne wobr o ganpunt er mwyn dal Wil Cefncoch, ond fe'i cuddiwyd gan y werin a dihangodd i America.

Roedd Dafydd a Mary Jones o ffarm Ffynnon Llewelyn

ger Rhydowen hefyd wedi ffoi i America ar ôl cael eu herlid o'u cartref yn dilyn etholiad 1868. Cafodd 7 ffarmwr eu 'troi mas' o diroedd ystad Alltyrodyn, ac aeth Dafydd a'i wraig a'u tri o blant o Lerpwl i Efrog Newydd, lle bu farw'r tri phlentyn o'r frech wen. Claddwyd John yn 25 oed, Thomas yn 36 a Margaret yn 28, pob un ar Ynys Blackwell yn 1871. Daeth y rhieni'n ôl i Geredigion, i Benrhiwllan, ond pylodd meddwl Mary a threuliodd fisoedd olaf ei bywyd yn chwilio am ei phlant yn y caeau ac ar y bryniau.

Cafodd Gwilym Marles a'i gynulleidfa eu herlid o Gapel Llwynrhydowen gan y sgweiar, John Davies-Lloyd, a hynny am fod Gwilym wedi pregethu o blaid y Rhyddfrydwyr. Sefydlwyd Capel Coffa newydd i'r Undodiaid lai na milltir o'r hen safle ac agorwyd y capel hwnnw ar 9 Hydref 1879. Roedd Gwilym Marles yn rhy sâl i fynychu'r digwyddiad, a bu farw ar Ragfyr yr 11eg, 1879 yn 45 oed.

Yn yr ardaloedd gwledig bu anghydfod ynglŷn â chau'r tiroedd agored. Rhwng 1793 ac 1815 cafodd rhyw 10,000 o erwau o diroedd comin y sir eu hamgáu, a pharhaodd y broses drwy'r 19eg ganrif. Caewyd tir comin Aberteifi yn 1855, Cellan yn 1856, Mynydd Bach yn 1857, Llanfair Clydogau yn 1859, Comin Llangeitho yn 1860 a'r gyfran fwyaf o'r rhain, Mynydd Llanddewibrefi, yn 1888. Yn 1843 roedd dros 17,000 o erwau o dir comin ym mhlwyf Llanddewi ac roedd colli'r adnodd hwn yn ergyd arw i'r werin leol. Esgob Tyddewi oedd Arglwydd Maenor Llanddewi ar ddechrau'r 19eg ganrif, ac roedd y Faenor hefyd yn cynnwys tir ym Mlaenpennal, Nantcwnlle, Gartheli, Aberarth a Llansanffraid.

Daeth ymateb chwerw i'r newidiadau mewn tir comin, ac yn ardal Mynydd Bach yn 1815 cafodd y comisiynwyr amgáu eu bygwth a dygwyd eu hoffer. Prynwyd 856 o erwau gan Augustus Brackenbury o Swydd Lincoln, a arweiniodd at

'Ryfel y Sais Bach' yn yr 1820au. Daeth Brackenbury i'r ardal yn 1819, gan ddymuno sefydlu stad hela a hel pobol leol o'u tiroedd. Llosgwyd ei dŷ cyntaf, Waun-wleb yn ardal Trefenter, gan y trigolion lleol ar 11 Gorffennaf 1821. Adeiladodd ail dŷ, Castell Talwrn, yn 1826, gyda ffos o'i gwmpas a thalodd wylwyr i ofalu amdano. Ym Mai 1826 ymosododd torf o tua 600 ar y tŷ, gan lenwi'r ffos a difetha'r tŷ. Adeiladodd drydydd tŷ o'r enw Cofadail yn 1828, ond erbyn 1830 roedd Brackenbury wedi gadael yr ardal a gwerthwyd ei holl dir.

Cyn i'r tir comin gael ei amgáu roedd y traddodiad tŷ unnos yn gyfle i drigolion tlawd y sir adeiladu tyddynnod bychain ar dir comin. Ers o leiaf ddechrau'r 19eg ganrif, ceid traddodiad fod hawl gan unigolyn i godi cartref syml ar dir comin os gallai gwblhau'r gwaith mewn un noson a bod mwg yn codi drwy'r to erbyn i'r haul godi drannoeth. Roedd y tir comin hefyd yn adnodd pwysig ar gyfer pori da byw a defaid, hel brwyn i atgyweirio toeau a thorri mawn i wresogi cartrefi. Yn Llanddewi roedd y tir comin hwn yn rhan o'r Faenor, ond goddefwyd i'r bobol leol ddefnyddio'r tir ar yr amod eu bod yn talu dirwy, sef math o rent, i'r Faenor. Er hynny, roedd y bobol leol yn ystyried y tir comin yn dir rhydd, ac yn 1857 ysgrifennodd Stiward y Faenor:

'The Llanddewi Hills are almost looked upon as fair game for robbery by the unprincipled and dishonest persons who live far and near.'

Ar wahân i Faenorau Esgob Tyddewi, roedd yna Faenorau'r Goron, fel Mabwynion, a oedd yn cynnwys Llanfair Clydogau, Dihewyd, Llanbed a Llannerch Aeron. Er bod hon yn Faenor y Goron, perchennog y tir oedd Plas Llanfair a byddai'n talu les i'r goron am yr hawl i weinyddu'r tir. Roedd maenorau preifat fel Cellan yn bodoli hefyd, ac erbyn diwedd y 19eg ganrif roedd honno'n eiddo i William

Jones o blasty Glandenys. Erbyn 1894 roedd ef yn berchen ar dros 7,000 o erwau o dir, gan gynnwys ffermydd mawrion a bychain, melinau ŷd a siopau. Byddai tenantiaid yn adnewyddu eu hawl i weithio'r tir bob blwyddyn a defnyddid y les fel ffordd o reoli'r tenantiaid.

Roedd yna ddrwgdeimlad rhwng perchnogion y tai unnos a'r ffarmwyr tenant ar y tiroedd is, gan eu bod nhw'n arfer defnyddio'r tir ar gyfer eu defaid. Cafodd y Parchedig David Williams ei fagu ar Fynydd Llanddewi, ac yn ei lyfr *Y Wladfa Fach Fynyddig* mae'n disgrifio'r brwydro ffyrnig rhwng y ddwy garfan. Bu'r ffarmwyr sefydlog a'u gweision yn ymosod ar rai o'r tai unnos, gan obeithio dymchwel y tai a oedd yn ymyrryd â'r tiroedd lle roeddynt yn pori eu defaid.

Yn dilyn etholiad 1868 cafodd nifer o denantiaid eu herlid o Stad Llanfair, a soniodd Henry Richard am hyn yn Nhŷ'r Cyffredin yn 1871:

'Last year there were five evictions on an Estate. The name of the Estate is Llanfair. In March, notices were served upon the tenants with assurances that it was simply the first step attending revaluation... Of these five, four had voted Liberal and the fifth had refused to vote for the Conservative candidate. Two or three weeks ago, on an adjoining Estate, tenants waited to hear of a considerable advance in rent, eight of them were told that they were not to have their holdings at all. These eight tenants were all noted Liberals, some of them excellent farmers, and most had been subject to a strenuous canvass by the young heir and his trustee, besides being visited by the sub agent previous to the election of 1868.'

Buont yn gweithredu am 83 mlynedd i amgáu'r tir yn Llanddewibrefi. Cychwynnodd y broses yn 1805 pan gynhaliwyd cyfarfod gan gynrychiolwyr Arglwydd y Faenor yn nhafarn y Llew Du yn Llanbed. Fel rhan o'r broses cafodd perchnogion tai unnos y cyfle i brynu eu tiroedd. Rhoddwyd darnau o dir i rai tirfeddianwyr lleol a gwerthwyd darnau eraill. Erbyn 1888 roedd y broses o amgáu'r tir wedi'i chwblhau a bu'n ddylanwad mawr ar yr ucheldiroedd, gan sefydlu'r tir comin fel tir preifat. Yn eu llyfr ar hanes yr amgáu, mae Alan a Sally Leech o Lanfair Clydogau wedi ymchwilio i hanes nifer o'r tai ar yr ucheldiroedd. Ar fynydd Llanddewi maent yn olrhain hanes 60 o dai a oedd yn ffermdai erbyn diwedd y cyfnod amgáu, ond erbyn 2009 dim ond 22 o'r rhain oedd yn dal yn gartrefi. Roedd pedwar o'r rhain yn eiddo i Gymry, 18 yn eiddo i ymfudwyr o Loegr a dim ond dau yn gweithredu fel ffermydd.

Yn Nhrefenter, ger Mynydd Bach, yn yr 1840au rhannwyd tua 160 o erwau o dir yn ddeugain o ddyddynnod bychain a byddai'r trigolion gan amlaf yn byw mewn tai syml, wedi'u hadeiladu o ba bynnag ddeunydd oedd wrth law. Clai oedd y muriau gan amlaf, gyda thoeon gwellt. Roedd y tai hyn, yn enwedig y tŷ hir, yn nodweddiadol o dai'r werin bobol yn y de-orllewin tan ddegawdau cynnar yr 20fed ganrif. Yn y tŷ hir roedd dwy stafell ar un llawr gan amlaf, a byddai'r bobol yn byw mewn un stafell a'r da byw yn byw yn y llall, yn 'wres canolog' sylfaenol.

Erbyn diwedd y 19eg ganrif roedd tir y sir yn cael ei rannu a'i werthu, gan greu rhai tirfeddianwyr newydd yn lle tenantiaid. Eto i gyd, roedd amgáu tir yn cynyddu canran y tir a oedd yn eiddo i'r tirfeddianwyr mawrion. Serch hynny, roedd yn gychwyn ar y broses o rannu'r maenorau a'r ystadau a oedd wedi crynhoi ers Statud Rhuddlan yn 1284, ac wedi ehangu yn dilyn diddymu tiroedd yr Eglwys yn yr 1530au ac eto yn dilyn Adferiad y Goron yn 1660.

Yn etholiad 1880, pan oedd y bleidlais gudd wedi'i sefydlu,

daeth Enoch Evans o Felin Crugyreryr yn Nhalgarreg yn enwog yn lleol pan baentiodd y geiriau 'RHYDDID HEDDWCH A LLWYDDIANT' mewn llythrennau bras ar ochr y felin. Roedd yr uchelwyr yn dechrau colli eu gafael ar awenau'r gymdeithas a'r werin bobol yn breuddwydio am fyd newydd y tu hwnt i'w rheolaeth.

Diddymwyd sedd y bwrdeistrefi yn 1885, a chafwyd yr hawl i bleidleisio gan ddynion a oedd yn talu rhent o £10 y flwyddyn neu'n berchen tir cyfwerth. Chwyddodd yr etholaeth sirol o 5,026 yn 1883 i 12,308 yn 1886. Dirywiodd dylanwad y Blaid Geidwadol yn y sir wedi hynny. Roedd yna 36 o gynghorwyr Rhyddfrydol ar y Cyngor Sir cyntaf yn 1889 a 10 Ceidwadwr.

Datblygodd teuluoedd yr uchelwyr yn weinyddwyr y gymdeithas ar ôl y newidiadau a ddaeth yn sgil ffurfio Sir Aberteifi yn y 13eg ganrif. Yn ei hanes ar gartrefi'r uchelwyr, mae Francis Jones yn nodi bod 355 o gartrefi yn eiddo i uchelwyr yn y sir.

Ym mhlwyf Llandysul mae 30 o'r rhain, sef 'Alltyrodin, Blaen Cerdin, Blaenythan, Bryn Danhawg, Camnant, Castell Hywel, Cefn Gwallter, Coed y Foel, Cwm Huar, Cwm Meudwy, Dinas Cerdin, Dyffryn Llynod, Faerdre Fawr, Faerdre Fach, Ffosesgob, Ffos Helig, Gelli Fraith, Gilfachwen Isaf, Gilfachwen Uchaf, Glan Clettwr, Gwar Coed Einion, Henbant Hall, Llanfair Berth Cyndy, Llwyn Rhydowen, Nant yr ymenyn, Pantstreimon, Pant y defaid, Troedrhiw ffenyd, Waunifor, Gelli Faharen'.

Roedd 21 o blastai ym mhlwyf Llanbadarn Fawr, 16 yn Llandygwydd, 15 yn Llangoedmor, 12 yn Llanfihangel-y-Creuddyn a Llanfihangel Genau'r Glyn, 11 yn Llanwenog a Phenbryn, 10 yn Llanarth a rhwng un a naw ym mhob un o blwyfi eraill y sir. Gwelir cysylltiad â'r gorffennol pell yn rhai o'r

tai hyn, megis Faerdre Fach a Faerdre Fawr a oedd gynt yn ganolfannau 'maerdref' canoloesol yng nghwmwd Gwynionydd. Adnabyddir Faerdre Fach hefyd fel Parc Mawr. Yn ôl y *Carmarthen Antiquary*, 'this was the Grange of Maerdref Gwynionydd, which in 1331 Meredydd ab Owen confirmed the grant which the Lord Rhys had made of it to Talley Abbey in 1197.'

Pan ddiddymwyd Abaty Talyllychau yn 1536, parhaodd Faerdre Fach yn eiddo i'r goron tan 1596, pan drosglwyddodd Elizabeth I y tir i David Williams, Twrne Cyffredinol de-orllewin Cymru. Erbyn diwedd yr 17eg ganrif daeth yn eiddo i deulu Fforest Cilgerran, ac erbyn heddiw mae dynes o ardal Newcastle o'r enw Katie Stamp, a'i gŵr Andy, yn rhedeg yr hen blasty fel llety gwely a brecwast yn ogystal â chadw lloches i asynnod.

Datblygodd Faerdre Fawr wrth ymyl hen safle pentref Castell Gwynionydd, eto'n rhan o eiddo Abaty Talyllychau. Fel nifer o blastai de Ceredigion, roedd hwn yn gartref i'r teulu Lloyd am gyfnod hir o'i hanes, ac yn eu plith roedd Jenkin Lloyd. Cafodd ei addysgu yng Ngholeg yr Iesu, Rhydychen, a daeth yn gaplan i Oliver Cromwell yn ogystal â bod yn Aelod Seneddol o 1654 i 1656. Bu'r ystad yn rhan o eiddo teulu Llannerch Aeron am gyfnod, gyda thenantiaid yn gweithio'r tir, ond gwerthwyd yr ystad yn 1918.

Roedd y teulu Lloyd, a fu'n berchen Castell Hywel, yn perthyn i Cadifor ap Dinawal, y sawl a ymosododd ar Gastell Aberteifi ynghyd â'r Arglwydd Rhys. Roedd yr enw'n gyfarwydd drwy'r sir, nid yn unig yn ne Ceredigion, ond hefyd yn ardal Lledrod, ym mhlasty Ffosybleiddiaid.

Ceir cyfeiriad at David Llwyd o Ffosybleiddiaid yn 1550, ac roedd yn ddisgynnydd i Rhys Ddu a fu'n gwarchod Castell Aberystwyth ar ran Owain Glyndŵr. Roedd David Lloyd, a fu farw yn 1722 yn 79 oed, yn gapten llynges ac yn hen gyfaill morol i James II. Roedd ei frawd iau, Oliver, yn was bach i James II, a daeth John Lloyd, a anwyd yn Ffosybleiddiaid yn 1726, yn 'Clerk of the Check' ym mhorthladd Plymouth. Yr olaf o'r teulu i weinyddu Ffosybleiddiaid oedd James Lloyd, a fu farw yn 1800. Roedd yntau'n Ustus Heddwch lleol, yn ogystal â rheoli a ffarmio'r ystad. Y teulu oedd yn berchen y tir o hyd ar ôl ei farwolaeth, yn ei osod i denantiaid, ond erbyn 1888 roedd Ffosybleiddiaid wedi'i werthu i'r Arglwydd Lisburne a daeth yn rhan o ystad Trawsgoed.

Daeth nifer o'r plastai yn ffermdai, fel Castell Hywel, Parc Rhydderch, Crugbychan, Tywyn, Pantyrodin a Ffosesgob. Ceir dirywiad dramatig yn hanes rhai, fel Peterwell ger Llanbed. Prynodd David Evans y tir ac adeiladu'r tŷ cyntaf yno yn ystod teyrnasiad Charles I. Daeth y teulu yn wreiddiol o Lechwedd Deri, yn ddisgynyddion i fab Alltyrodyn.

Bu David Evans yn ymladd dros y goron ym Mrwydr Sain Ffagan, yr ochr arall o'r frwydr i'w gymdogion, Syr Marmaduke Lloyd, a'i fab, Charles o Faesyfelin. Roedd ei fab, Thomas, hefyd yn deyrngar i'r brenin yn 1645, ond fel nifer o rai eraill newidiodd ei deyrngarwch wrth i'r rhyfel barhau. Dywedir i Thomas a'i fab, David, weithredu fel asiantiaid i Cromwell yng Nghymru gan ddod yn gyfoethog yn y broses. Bu David yn gapten ar gwmni o filwyr troed ac roedd ei fab, Daniel, yn Uwch Siryf yn y sir yn 1691.

Pan fu farw Daniel yn 1696 priododd ei weddw â John Lloyd, gan gychwyn hanes y cyfenw 'Lloyd' yn Peterwell. Priododd eu merch, Elizabeth, gyda Walter Lloyd, a ddaeth yn Dwrne Cyffredinol ar Sir Gâr, Sir Aberteifi a Sir Benfro, a bu'n Aelod Seneddol dros Sir Aberteifi rhwng 1734 ac 1741. Cawsant naw o blant ac etifeddodd John Lloyd yr ystad, gan eistedd fel Aelod Seneddol o 1747 hyd at ei farwolaeth yn 1755.

Daeth ei frawd, Herbert, yn ei le, cythraul o ddyn yn ôl yr hanesion amrywiol amdano. Cafodd ei urddo'n Farwnig gan George III yn Ionawr 1763, ond roedd mewn dyled yn barhaus, yn dwyn gwartheg ac yn esiampl o'r uchelwr ar ei waethaf. Er ei fod yn Ustus Heddwch, dywedir ei fod yn un o'r uchelwyr a oedd yn prynu brandi a gwinoedd oddi wrth y smyglwr Sion Cwilt.

Un tro roedd am brynu ffarm fechan ger Felinsych, Pencarreg. Oherwydd bod y ffarmwr yn gwrthod gwerthu, cafodd ei fygwth gan Herbert Lloyd. Aeth y ffarmwr at Mr Vaughan, Dolgwn, dyn uchel ei barch, a dywedodd wrtho am ymddygiad Herbert. Aeth Vaughan i Peterwell a daliodd ddryll yn erbyn pen Herbert Lloyd, gan ddweud y byddai'n ei ladd os na châi'r ffarmwr ei dir yn ôl.

Dro arall roedd Herbert am hawlio cae 18 erw gerllaw Peterwell. Teimlai fod y bwthyn cyntefig ar y tir yn amharu ar ei olygfa ef o'r plasty. Gwrthododd y ffarmwr, Siôn Phillips, werthu ei dir iddo, er i Herbert geisio'i seboni, yna'i fygwth, ac yna ceisio'i feddwi yn Peterwell. Danfonodd Herbert weision i'r bwthyn i wthio hwrdd du i lawr y simne, tra oedd e'n cychwyn si ar led fod rhywun wedi dwyn ei hwrdd. Bu nifer o bobol yn chwilio am yr hwrdd a bu Siôn a'i wraig yn chwilio rhag ofn bod yr hwrdd ar eu tir nhw.

Rai diwrnodau'n ddiweddarach aeth gweision Herbert a Thomas Evans, Cwnstabl Llanbed, i chwilio am yr hwrdd a'i 'ddarganfod' yn simne Siôn. Cludwyd Siôn i Peterwell, a Herbert yn mynnu y câi ei grogi os na fyddai'n cytuno i werthu'r cae. Gwrthododd Siôn. Fe'i harestiwyd a'i ddwyn i garchar Aberteifi. Cafwyd ef yn euog ac fe'i crogwyd ar Fanc y Warin.

Erbyn 1768, pan fethodd sicrhau parhad ei Aelodaeth Seneddol, daeth diwedd ar allu Syr Herbert i osgoi ei ddyledion. Ceisiodd achub y sefyllfa yn yr is-etholiad ar gyfer sedd bwrdeistref Aberteifi yn 1769, ond gweithredodd Gogerddan a nifer o dai eraill yn ei erbyn. Yng Ngorffennaf 1769 ceisiodd adfer y sefyllfa trwy fynd i gamblo yn Llundain, ond mae'n debyg iddo golli mwy na £7,000. Honnir ei fod wedi saethu ei hun mewn gardd fechan y tu ôl i'r clwb gamblo yn Awst 1769, er bod adroddiadau papurau newydd yn dweud iddo farw o achosion naturiol.

Sefydlwyd Priordy Benedictaidd Aberteifi gan Gilbert de Clare yn 1108, ond roedd yn gartref i'r teulu Phillips erbyn yr 16eg ganrif. Adeiladwyd plasty yn 1744 a daeth yn eiddo i Thomas Pryse o Gogerddan. Cafodd ei werthu er mwyn talu dyledion Pryse pan fu farw hwnnw yn 1745. Rhwng 1793 ac 1803 cafodd ei ailadeiladu yn unol â chynllun gan John Nash ar gyfer dyn o'r enw Bowen o Droed-yr-aur. Erbyn 1840 roedd yn eiddo i Philip John Miles o Wlad yr Haf. Yna fe'i prynwyd yn 1897 gan Dr John Pritchard o Rochester, Efrog Newydd, gŵr a gymerodd ran yn y Rhyfel Cartref yn America. Ar ôl y Rhyfel Mawr gwerthwyd y plasty am £4,250, gan drawsnewid yr adeilad unwaith eto er mwyn ei ddefnyddio fel ysbyty.

Yng ngogledd y sir bu plastai Gogerddan, Nanteos, Hafod a Thrawsgoed yn ganolfannau gweinyddol dros y canrifoedd. Tan 1949 roedd Plas Gogerddan yn gartref i'r teulu Pryse. Yn 1953 sefydlwyd Bridfa Blanhigion Cymru ar y safle, ac erbyn heddiw mae'n parhau'n ganolfan ymchwil amaethyddol ac amgylcheddol, fel rhan o Brifysgol Aberystwyth.

Mae'r ddogfen berchnogaeth gyntaf ar gyfer Gogerddan, dyddiedig Hydref yr 20fed, 1334, yn cyfeirio at enw'r lle a rhai tiroedd a oedd wrth wraidd datblygiad yr ystad. Ymysg y cyndeidiau cynnar mae Rhydderch ab Ieuan Llwyd o Barc Rhydderch, plwyf Llangeitho, dyn cyfoethog a dylanwadol yn ystod ail hanner y 14eg ganrif. Ysgrifennodd amrywiol feirdd ryw 35 o gywyddau ac englynion i'r teulu, gan gynnwys marwnad Dafydd ap Gwilym i Rhydderch ab Ieuan Llwyd.

Priododd Sion Prys ag Elizabeth, merch Thomas Perrott, ac ef oedd y cyntaf i ddefnyddio'r cyfenw Pryse a'r cyntaf o'r teulu i fod yn Aelod Seneddol. Roedd hefyd yn Uwch Siryf y sir yn 1580. Roedd Richard Pryse yn Uwch Siryf yn 1586 ac 1604 ac yn Aelod Seneddol dros y sir yn 1584–1585, 1588–1589, 1593, 1601, 1604 ac 1621–1622. Cafodd ei urddo'n farchog yng Ngorffennaf 1604, a daeth ei fab, Richard, yn Farwnig yn Awst 1641.

Bu hwnnw'n Uwch Siryf yn 1639 ac 1655, ac yn Aelod Seneddol o 1646 i 1648. Parhaodd y teulu yn un o brif ddeuluoedd uchelwyr y sir, yn Aelodau Seneddol a Siryfiaid yn ogystal â thirfeddianwyr, am ganrifoedd wedi hynny. Perchennog olaf yr ystad oedd Syr Lewes Thomas Loveden Pryse a anwyd ar Chwefror y 5ed, 1864. Bu farw ar Fai'r 23ain, 1946 a daeth diwedd ar 600 mlynedd o hanes y teulu Pryse yng Ngogerddan. Ar un cyfnod roedd y teulu'n berchen 30,000 o erwau o dir yn y sir. Cafodd dros 7,000 o erwau eu gwerthu i'r Comisiwn Coedwigaeth yn 1930 a thua 3,700 o erwau yn 1948, pan werthwyd y plas hefyd.

Roedd plasty Hafod ger Pontrhydygroes yn un arall o'r ystadau a ddatblygodd yn sgil diddymu'r abatai. Roedd cyfran helaeth o'r tir yn eiddo i Abaty Ystrad Fflur yn y canol oesoedd, ond erbyn 1547 roedd Richard Devereux yn berchen prydles yr Hafod a thiroedd eraill yr abaty. Dyma deulu arall a oedd yn olrhain ei achau o Gadifor ap Dinawal, drwy'r teulu Fychan. Priododd un o ferched William ap Rhys Fychan â Syr Richard Herbert o Bowys, gan sefydlu'r teulu Herbert. Adeiladodd Morgan Herbert dŷ yn Hafod, a bu'r teulu'n weithgar yn priodi i rai o ddeuluoedd mwyaf blaengar y sir.

Roedd William, mab Morgan, yn Uchel Siryf yn 1689, ac wedi ei farwolaeth yn 1704 priododd ei aeres, Jane Herbert, â Thomas Johnes o Lanfair Clydogau, tirfeddiannwr sylweddol yng ngorllewin Cymru. Am gyfnod bu tenantiaid yno, ond yn 1783 etifeddodd y Cyrnol Thomas Johnes yr ystad a syrthiodd yntau mewn cariad â'r dirwedd arw, ramantus. Penderfynodd wella'r ystad, ac ar ôl marw ei wraig gyntaf, Mary, priododd ei gyfnither, Jane Johnes, a bu'r ddau'n byw yn hapus yn yr Hafod, gan fagu eu merch, Mariamne, a anwyd yn 1784. Yn 1786 adeiladwyd tŷ newydd yn yr Hafod, gan adlewyrchu'r dull Gothig ffasiynol. Plannodd 2,065,000 o goed ar yr ystad hefyd, ac yn 1798 paentiodd J M W Turner yr olygfa o'r plasty a'r dirwedd o'i gwmpas.

Ar ddydd Gwener y 13eg o Fawrth, 1807, tra oedd y Cyrnol yn Llundain, bu tân enfawr yn yr Hafod. Dinistriwyd y plasty a chasgliad enfawr o lawysgrifau, llyfrau a thraethodau. Rhentiodd y teulu Castle Hill ger Aberystwyth ac aeth Johnes ati i ailadeiladu'r Hafod.

Rhwng 1872 ac 1940, y teulu Waddingham, o Swydd Lincoln, oedd yn berchen yr Hafod. Roedd John Waddingham o gefndir amaethyddol ac wedi gwneud ei arian fel masnachwr a gwneuthurwr defnyddiau yn Leeds. Roedd hefyd wedi buddsoddi'n graff yn y diwydiant rheilffyrdd, a phan fu farw yn 1890 gadawodd £253,000 yn ei ewyllys. Erbyn 1927 roedd ystad yr Hafod yn cynnwys 15,000 o erwau o dir. Etifeddwyd yr ystad gan James, mab hynaf John, a bu'n gartref iddo ers i'w dad ei brynu yn 1872. Ar ôl cael ei addysgu yng Ngholeg Oriel, Rhydychen, daeth James yn rhugl yn y Gymraeg ac yn fyfyriwr mewn Llenyddiaeth Gymraeg.

Er i'r ystad adeiladu Rheilffordd Ysgafn Dyffryn Rheidol a gwerthu coed i ddatblygu mwyngloddio, erbyn 1932 roedd James wedi gwario'i arian a symudodd i Rodfa'r Gogledd, Aberystwyth, lle bu farw yn 1938 yn 98 oed. Cynhaliwyd ei angladd yn yr Eglwys Newydd, ac roedd presenoldeb cannoedd o alarwyr yn arwydd o'r parch at ei gyfraniad i'r ardal.

Yn 1940 gwerthwyd yr ystad i W G Tarrant, adeiladwr o Surrey, a thalodd £46,000 am 13,000 o erwau. Roedd Tarrant yn cyflogi dros 150 o ddynion yn y gwaith coedwigaeth yng Nghwmystwyth, ond bu farw'n sydyn o drawiad ar y galon ym Mawrth 1942. Gwerthwyd yr ystad gan ei weddw am £23,000, yna fe'i gwerthwyd eto i J J Rennie, masnachwr coed o Wrecsam, a hynny am £17,750. Gwerthwyd y rhan fwyaf o'r ystad i'r Comisiwn Coedwigaeth yn yr 1950au. Bu'r plasty'n wag ers Awst 1946, ac yn Awst 1958 chwalwyd yr adeilad â deinameit.

Saif Nanteos o hyd yn Nyffryn Paith, yn westy moethus erbyn hyn. Tyfodd yr ystad hon hefyd yn sgil diddymu Ystrad Fflur, ac roedd y teulu Powell yn berchen ar 30,000 o erwau o dir rhwng Pontarfynach, Ponterwyd ac Aberystwyth. Y teulu Jones fu yna'n gyntaf, cyn i William Powell briodi i mewn i'r teulu yn 1620. Roedd ei dad, Thomas Powell, yn Farwn y Trysorlys yng nghyfnod James II.

Roedd John Jones o'r teulu yn Gyrnol brenhinol yn ystod y Rhyfel Cartref, yn amddiffyn Castell Aberystwyth ac yn Uchel Siryf yn 1665. Yn 1752 etifeddwyd yr ystad gan Dr William Powell, a fu'n weithgar yn datblygu mwyngloddio plwm ac arian ar yr ystad. Priododd ei chwaer, Anna, â Richard Stedman, a daeth tiroedd helaeth a fu gynt yn rhan o Ystrad Fflur yn eiddo i Nanteos. Pan etifeddodd William Powell arall yr ystad yn 1809, roedd yna ddyled o £20,000.

William R T Powell oedd y gŵr a geisiodd sefydlogi'r ystad, gan werthu tir ac eiddo gwerth £80,000 rhwng 1868 ac 1873, pan leihawyd tir yr ystad i 21,000 o erwau. Ef oedd Aelod Seneddol y sir rhwng 1859 ac 1865 a chafodd ei olynu gan George Powell, y bardd a'r ysgolhaig a fu'n gyfaill i Byron, Swinburne, Longfellow a Wagner. Disgrifiodd Nanteos fel 'my beautiful but unhappy home' ac roedd yn hapusach yn treulio'i amser yn nhafarndai Aberystwyth. Saethodd George darw gwerthfawr yr ystad pan roddodd ei dad ddryll iddo a dweud wrtho am saethu'r anifail cyntaf a welai ar dir y plas.

Yn dilyn hwnnw daeth William Beauclerk Powell a'i fab, Edward, a gwerthwyd cyfran helaeth o'r ystad, nes nad oedd ond 4,000 o erwau'n weddill. Defnyddiwyd cyfran o'r arian i wella cartrefi a ffermydd tenantiaid yr ystad. Yna priododd Edward â Margaret, merch hynaf Syr Pryse Pryse o ystad Gogerddan, gan uno'r ddau deulu hynny. Bu farw eu hunig fab yn y Rhyfel Mawr, a daeth diwedd i linach wrywaidd Powelliaid Nanteos pan fu farw Edward yn 1930. Bu farw Margaret yn 1952 ac aeth y plasty yn eiddo i'w gor-nith, Elizabeth Mirylees, ond bu'n rhaid iddi hi a'i gŵr werthu'r rhan fwyaf o'r 2,250 o erwau a oedd yn weddill o'r ystad, ynghyd â'r plasty, yn 1967.

Saif plasty Trawsgoed ar lannau afon Ystwyth gerllaw lleoliad y gaer Rufeinig o'r un enw. Yma roedd cartref y teulu Vaughan a buont yno o'r 13eg ganrif hyd at 1947. Cafodd John Vaughan ei greu'n Iarll Lisburne yn 1776, ac yn 1873 roedd yr ystad yn berchen ar 42,666 o erwau o dir, yr ystad fwyaf yng Ngheredigion. Gwerthwyd y plasty i'r Weinyddiaeth Amaeth am £50,000 yn 1947, ar ôl dros chwe chan mlynedd ym meddiant y teulu Vaughan.

Cysylltir ambell un o'r plastai â digwyddiadau o bwys yn hanes Prydain, fel Llwyndafydd ym mhlwyf Llandysiliogogo. Yn ôl traddodiad bu Henry Tudor, Iarll Richmond, yn lletya yma dros nos, yng nghartref Dafydd ab Ieuan, a hynny ar ei ffordd i Faes Bosworth i hawlio coron Lloegr, cyn cael ei goroni yn Frenin Henry VII. Honnir i Henry feichiogi merch Dafydd a bod y mab, Harry, yn rhagflaenydd sawl Parry a anwyd yng Nghwm Cynon a Gernos.

Dywedir hefyd fod Henry Tudor wedi treulio noson ym mhlasty Wern Newydd, Llanarth, yn westai i Einon ap Dafydd Llwyd. Gwerthwyd y plasty yn 1889, ac yn 1936 roedd Alastair Graham, ffrind coleg i Evelyn Waugh, yn byw yno. Ef oedd sail y cymeriad Sebastian Flyte yn y nofel *Brideshead Revisited*. Dywedir ei fod yn enwog am gynnal partïon, ac ymhlith y gwesteion dros y blynyddoedd roedd Evelyn Waugh, Augustus John, Dylan Thomas a Clough Williams-Ellis.

Er i oes aur y plastai ddod i ben erbyn yr 20fed ganrif, roedd ambell blasty'n dal yn rhan o hanes y sir a'r genedl. Yn 1860 roedd Glandenys, rhwng Silian a Llanbed, yn gartref i William Jones, Uwch Siryf Sir Aberteifi. Yn 1873 roedd yr ystad yn cynnwys 2,744 o erwau o dir. Gwerthwyd plasty Glandenys a 39 erw o dir yn 1930 a'u prynu gan yr Athro John Cayo Evans o Derw, Llanbed.

Etifeddwyd y plasty gan Julian Cayo Evans, a oedd yn brido ceffylau ac a fu'n aelod blaengar o'r Free Wales Army yn ystod yr 1960au. Roedd ef a Vernon Griffiths, o Ffarm Cwrt, Cwrtnewydd, ymysg aelodau'r FWA a gafodd eu carcharu yng nghyfnod Arwisgiad Charles yn Dywysog Cymru yn 1969. Er i'r plastai, dros y canrifoedd, fod yn gartrefi i weinyddwyr y goron, roedd ambell un o'r hen dai hanesyddol hyn yn dal yn gartrefi i genedlaetholwyr gwrthryfelgar.

Bedd Cranogwen, Llangrannog, 2014.
Bedd Sarah Rees, sef 'Cranogwen', ym mynwent Eglwys Carannog Sant, Llangrannog. Diolch i'r Eglwys yng Nghymru am eu caniatâd i dynnu llun ar dir yr eglwys.

Cranogwen's grave, Llangrannog, 2014. The grave of Sarah Rees, who was also known as 'Cranogwen', at Saint Carannog's Church cemetery, Llangrannog. Thanks to the Church in Wales for permission to take this picture on church land.

Plas Coedmor o Gilgerran, 2012.
Saif y plas ar lan afon Teifi, gyferbyn â Chastell Cilgerran. Roedd coed o'r ystad yn cael eu defnyddio ar gyfer y diwydiant adeiladu llongau yn Aberteifi yn y 19eg ganrif.

Plas Coedmor estate from Cilgerran, 2012.
The estate is on the bank of the Teifi, opposite Cilgerran Castle. Trees from the estate were used in Cardigan's shipbuilding industry in the 19th century.

Troedrhiwfallen, Cribyn, 2010.
Adnewyddwyd y bwthyn to gwellt hwn gan y pensaer Greg Stevenson a chaiff ei rentu i ymwelwyr gan gwmni Under the Thatch.

Troedrhiwfallen, Cribyn, 2010.
This thatched cottage was restored by architect Greg Stevenson and is rented to visitors by the Under the Thatch letting company.

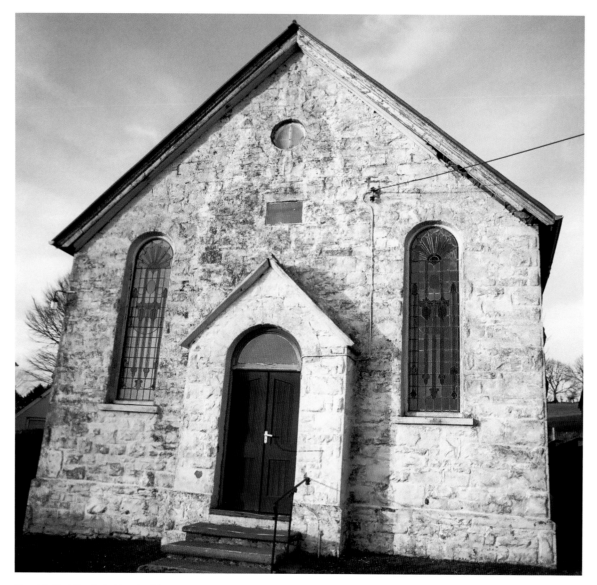

Capel Bethel, Drefach, Llanybydder, 2012.

Bethel Baptist Chapel, Drefach, Llanybydder, 2012.

Winston Evans, Roy Fenner, Ceinewydd, 2014.
Roy yw Harbwr-feistr Ceinewydd. Bu Winston yn bysgotwr a hefyd yn llywiwr cwch i'r bad achub, gan fod yng ngofal bad achub Ceinewydd am 29 mlynedd. Cychwynnodd weithio ar y bad achub ar ôl graddio mewn Ffiseg a Mathemateg o Brifysgol Aberystwyth yn 1961, a daeth yn llywiwr cwch. Mae'n dal i redeg cychod pysgota yng Nghei, a'i fab sy'n gwerthu mecryll Cei i Len Fish.

Winston Evans, Roy Fenner, New Quay, 2014.
Roy is the New Quay Harbour-master. Winston was a fisherman, and was also the coxswain for the New Quay lifeboat for 29 years. He started working on the lifeboat after graduating in Physics and Mathematics from Aberystwyth University in 1961. He still runs fishing boats in New Quay, and it's his son who sells mackerel to Len Fish.

Ian a Meg, Achubwyr
Bywyd RNLI, Ceinewydd,
2013.

*Ian and Meg, RNLI
Lifeguards, New Quay,
2013.*

Helfa Dyffryn Clettwr ger Tregroes, 2013.
Dyffryn Clettwr Hunt near Tregroes, 2013.

Trên Henllan, 2012.
Henllan train, 2012.

Haydn Evans, Brynllwyd, Pontsiân, 2011. Ffarmwr defaid oedd Haydn, yn byw ac yn gweithio ar ffarm Brynllwyd, ar y tir garw uchel rhwng Cwrtnewydd a Phontsiân. Ei rieni a osododd y darnau gwydr yn y wal uwchben y drws. Bu farw ym mis Ebrill 2013.

Haydn Evans, Brynllwyd, Pontsiân, 2011. Haydn was a sheep farmer, living and working at Brynllwyd farm, on the rough upland between Cwrtnewydd and Pontsiân. His parents placed the glass pieces in the wall above the door. He died in April 2013.

Aduniad Llwynrhydowen, 2014.
Roedd yr aduniad hwn yn rhan o'r gweithgareddau i godi arian i gynnal Hen Gapel yr Undodiaid, Llwynrhydowen.

Reunion at Llwynrhydowen, 2014.
This reunion was part of the activities to raise money to maintain the 'Old Chapel' at Llwynrhydowen.

Meinigwynion Mawr, Gorsgoch, 2013.
Diwrnod yr arwerthiant ar ffarm Meinigwynion Mawr ym mis Medi 2013, yn dilyn marwolaeth y perchnogion. Roedd Ronald a Sue Jones yn ffigyrau amlwg yn y byd bridio defaid.

Meinigwynion Mawr, Gorsgoch, 2013.
The day of the sale at Meinigwynion Mawr farm in September 2013, following the death of the owners. Ronald and Sue Jones were prominent figures in the sheep breeding world.

123

Rhai o'r defaid yn yr arwerthiant.
Some of the sheep at the auction.

Meinigwynion Mawr, 2013.
Rhai o hynafiaid yr ardal.

Meinigwynion Mawr, 2013.
Some local elders.

Cerdin Williams, Elwyn Williams, Ffarmwyr, Meinigwynion Mawr, Gorsgoch, 2013.
Dau frawd hynod o ddiddorol o Dregroes. Mae diddordeb mawr ganddyn nhw mewn perlysiau llesol, yn enwedig saets, a diod 'Kombucha', sef math o de madarch sy'n dod yn wreiddiol o Tsieina.

Cerdin Williams, Elwyn Williams, Farmers, Meinigwynion Mawr, Gorsgoch, 2013.
Two fascinating brothers from Tregroes. They both have a keen interest in beneficial herbs, especially sage, and the drink 'Kombucha', a type of mushroom tea originally from China.

Elwyn Williams, Tregroes, 2012.
Mae Elwyn yn byw gyda'i frawd Cerdin a'u chwaer Nancy ac yn dipyn o ges, yn gymeriad hoffus, ac yn chwarae rhan ganolog yng nghymdeithas Tregroes.

Elwyn Williams, Tregroes, 2012.
Elwyn, who lives with his brother Cerdin and their sister Nancy, is a real character and an amiable soul who plays a central role in Tregroes society.

Aberystwyth, 2013.
Aberystwyth, 2013.

Ceredigion Eto

Gellir gweld Ceredigion fel yr oedd ar drothwy'r 20fed ganrif mewn ffotograffau o waith dau arloeswr o'r cyfnod, sef Tom Mathias a John Thomas. Ganwyd Tom Mathias yn 1866 yn y cartref teuluol, Bryndyfan, ym Mhontrhydyceirt ger Cilgerran. Bu'n byw yno, ym mhen gogleddol Sir Benfro, ar hyd ei oes. Mae ei luniau o'r gymdeithas yn Nyffryn Teifi ar droad y ganrif yn gasgliad arbennig sy'n cwmpasu'r boneddigion yn ogystal â'r werin bobol. Gwelwn y lladd gwair a chŵn y Tivyside Hunt. Gwelwn weithlu ystad Coedmor yn 1909, a phentrefwyr yn sglefrio ar afon Teifi yn 1891. Achubwyd y casgliad gwerthfawr hwn gan Peter Maxwell Davies a oedd yn brif ffotograffydd yr RAE yn Aberporth yn yr 1980au. Mewn tafarn leol cyfarfu Peter Maxwell Davies â William Evans, perchennog newydd Bryndyfan. Roedd William Evans wedi darganfod y platiau gwydr ffotograffig ynghudd yn nho'r sied wrth ymyl y cartref, ac aeth Peter a'i wraig Peggy ati i achub a chofnodi'r lluniau. Erbyn hyn, mae'r casgliad yn cael ei gadw yn Scolton Manor, Sir Benfro.

Un o Gellan ger Llanbed oedd John Thomas, ond sefydlodd fel ffotograffydd proffesiynol yn Lerpwl. Cyn ei farwolaeth yn 1905 gwerthodd gasgliad o 3,000 o negyddion i'r cylchgrawn *Cymru*. Heddiw mae'r casgliad dan ofal y Llyfrgell Genedlaethol yn Aberystwyth. Tynnodd luniau o

nifer o enwogion Cymru Oes Victoria, gan gynnwys Michael D Jones a David Lloyd George, ynghyd â phregethwyr ac arweinwyr y gymdeithas Gymreig gyfoes.

Yn 1867 aeth ar grwydr o gwmpas gogledd Cymru, a theithiodd hefyd i fro ei febyd yn Llanbed a thynnu lluniau o bobol a golygfeydd lleol. Tynnodd lun o eglwys a thafarn Cellan a llun o Ffatri Cellan ar y daith hon. Ymysg ei luniau o Geredigion gwelir Sarah Jane Rees, neu 'Cranogwen', dyddiedig tua 1875, hen wragedd Llangeitho tua 1885, a chriw o bobol gyda chart ac asyn yn yr eira yn Llandysul yn yr 1890au. Gwelwn y dorf a aeth i weld dadorchuddio cofeb Henry Richard yn Nhregaron yn 1893. Ymysg ei bortreadau o bobol gyffredin y sir mae Nansi'r Coed o Dregaron a Daniel Davies, saer coed o Landysul.

Roedd ganddo ddiddordeb mewn portreadu pob haen o'r gymdeithas gyfoes. Mae ei luniau yn bererindod drwy'r Gymru a fu, ac yn arwydd o'r gwelliannau mewn trafnidiaeth a oedd yn esblygu ar yr un pryd â thechnoleg ffotograffiaeth. Saif y ddau hyn fel cewri cynnar y dechnoleg newydd, yn portreadu hen gymdeithas a oedd ar fin cael ei chwalu gan ddatblygiadau cymdeithasol yr 20fed ganrif.

Bu farw rhyw 35,000 o bobol Cymru yn y Rhyfel Mawr. Yn ei hanes cryno o Geredigion mae Mike Benbough-Jackson yn cyfeirio at ddyn a foddodd yn afon Clettwr ger Talgarreg, gŵr ifanc a oedd yn amharod i fynd i'r rhyfel. Mae mwy i'r stori na hyn, ac rwy'n gwybod hynny am mai perthynas i fi oedd y gŵr hwnnw. Roedd yn byw ar ffarm Pledrog, ar gyrion Talgarreg, gyda'i fam weddw, dwy chwaer a brawd bach. Wrth ymyl y lôn sy'n arwain at y ffarm mae llyn bychan, ac mewn un fersiwn o'r hanes, yno y boddodd y dyn ifanc ei hun am ei fod yn ofni mynd i'r rhyfel. Mewn dwy fersiwn arall o'r stori fe foddodd ei hun mewn casgen ddŵr, neu yn y nant fechan sy'n rhedeg heibio Pledrog i afon Clettwr. Roedd John Evans wedi bod yn rhoi dŵr i ddau geffyl pan laddodd ei hun ar Fawrth yr 22ain, 1916. Yn ôl yr hanes a glywais gan fy nheulu, mae'n debyg iddo gael ei boenydio'n gyson gan rai pobol leol a oedd yn mynnu y byddai'n rhaid iddo fynd i'r rhyfel a lladd Almaenwyr.

Bu'r Rhyfel Mawr yn drobwynt i'r diwydiant gwlân yng ngorllewin Cymru, diwydiant a welodd dwf aruthrol ar ôl dyfodiad y trên. Roedd melinau gwlân ymhob rhan o'r sir, ond roedd nifer sylweddol yng nghanol ardal afon Teifi, rhwng Castell Newydd Emlyn a Llandysul. Drefach Felindre, ym mhen gogleddol Sir Gâr, oedd prif ganolfan y diwydiant, ac roedd melinau'r Deri ac Alltcafan ym Mhentrecwrt, ac eraill o gwmpas Llandysul.

Tua 1850 bu twf sylweddol yn y diwydiant yn sgil dyfodiad peirianwaith newydd i brosesu'r gwlân, proses a oedd yn llafurus iawn pan oedd yn waith llaw. Sefydlwyd nifer o felinau newydd ar hyd y rheilffordd, gan fod y trên yn cludo'r glo roedd ei angen i yrru peiriannau'r melinau nad oedden nhw'n defnyddio olwynion dŵr. Wedi dyfodiad y trên o Bencader i Gastell Newydd yn 1895, sefydlwyd ffatrïoedd newydd yn Henllan, Pentrecwrt, Llandysul a Chastell Newydd. Roedd y rheilffordd hefyd yn fodd i berchnogion y melinau deithio er mwyn marchnata a gwerthu eu nwyddau, ac i

ddosbarthu i gyfanwerthwyr de Cymru. Cyn hynny roedd gwerthiant yn ddibynnol ar ffeiriau lleol. Rhwng 1912 ac 1920 roedd melin Maes-llyn ger Llandysul yn gwerthu ei defnyddiau i ddilledyddion yn y llefydd canlynol: Birmingham, Aberdâr, Hirwaun, Wolverhampton, Newport Pagnell, Maesteg, Cheltenham, Casnewydd, Castell Nedd, Pontyberem, Ystalyfera, Abersychan, Llansamlet, Port Talbot, Llundain, Middlesborough, Abertawe, Caerffili, Clydach, Treherbert, Pontardawe, Stafford, Presteigne, Glasgow, Aberhonddu, Bletchley, Llanelli, Penybont a Gilfach-goch.

Ar lannau afon Eleri ger Talybont sefydlwyd pum melin oedd yn gwerthu i'r mwynwyr yn y diwydiant cloddio lleol, ond roedd melinau de'r sir yn gwerthu i farchnad lawer yn fwy, sef glowyr de Cymru, ac yn ffynnu ar y cyd â gweithluoedd y pyllau glo, yn enwedig yn yr 1880au a'r 1890au.

Roedd Ffatri Cellan, ger Llanbed, yn esiampl o'r felin ddŵr wledig, a byddai honno'n pallu troi yn ystod tywydd sych. Sefydlwyd hi yn 1885 a chaewyd ei drysau yn 1948. Yn Rock Mill, Capel Dewi, Donald Morgan yw'r bedwaredd genhedlaeth o'r teulu i weithio yno ers i'w hen dad-cu sefydlu'r felin tua 1896. Heddiw gall ymwelwyr weld y peiriannau'n troi drwy nerth afon Clettwr, a gwerthir carthenni o'r felin yn y siop. Yn 1895 sefydlodd gwehyddion Pantolwen, ar lan afon Cerdin ger Llandysul, felin ddŵr arall a gaeodd yn 1962. Roedd y felin yn gwerthu carthenni i gyfanwerthwyr, ond hefyd yn gwerthu ei chynnyrch drwy siop y perchennog yn Aberystwyth.

Mentrau teuluol oedd nifer o'r melinau llai, ond erbyn dechrau'r 20fed ganrif roedd y ffatrïoedd trefol yn elfen newydd, yn aml yn cefnogi gweithluoedd o bron i gant o bobol. Roedd y mwyafrif o'r ffatrïoedd gwlân mwy o faint yn fentrau newydd, a'r rheiny o gwmpas Drefach Felindre, Llandysul, Pentrecwrt a Chastell Newydd Emlyn. Os oedd dyfodiad y trên yn elfen bwysig yn nhwf y diwydiant, roedd y Rhyfel Mawr yn gyfnod o anterth na welwyd ei debyg. Daeth galw aruthrol am wlanen, blancedi a gwisgoedd milwrol. 'Angola' oedd rhan helaeth o'r cynnyrch, sef cymysgedd israddol o wlanen a chotwm, deunydd rhad i'w gynhyrchu ond busnes llewyrchus i'r rhai a gafodd gytundebau gan y Llywodraeth.

Wedi penllanw'r rhyfel, pylodd y galw ac roedd blynyddoedd 1920–25 yn rhai anodd i'r diwydiant. Roedd gan y Llywodraeth or-gyflenwad o wlanen a blancedi, a gwerthid y rhain ar y farchnad agored. Roedd crysau gwlanen, a werthai am 52 swllt a 6 cheiniog y dwsin yn 1916, yn gwerthu am 38 swllt y dwsin yn 1923. Syrthiodd pris gwlân yn syfrdanol, o 54 ceiniog y pwys yn 1919 i naw cheiniog y pwys yn 1921. Bu gostyngiad yng nghyflogau gweithwyr, a diswyddwyd cannoedd o bobol.

Roedd y melinau lleol yn methu addasu i'r amgylchiadau newydd. Roedd dillad isaf o wlanen yn anffasiynol erbyn hyn, ac fe'u disodlwyd gan ddillad isaf wedi'u gweu, o ddwyrain canolbarth Lloegr, yr Alban a gogledd Lloegr. Parhaodd melinau gorllewin Cymru i gynhyrchu gwlanen ac 'Angola', ond roedd y farchnad wedi diflannu. Yn ystod yr 1920au daeth y diwedd i 21 o felinau Drefach Felindre. Roedd nifer o beiriannau'r melinau yn hen, hyd yn oed yn y melinau newydd lle prynwyd hen offer ail- law o Swydd Efrog neu orllewin Lloegr. Un o'r prif wendidau oedd y peiriannau cribo hen ffasiwn, gan fod cribo'r gwlân yn effeithiol yn rhan sylfaenol o safon y cynnyrch.

Rhwng 1922 ac 1939 crebachodd y diwydiant, ac erbyn 1935 roedd nifer o'r melinau a oedd ar ôl yn gwerthu mwy o'u cynnyrch fel carthenni i dwristiaid, yn hytrach na dillad isaf neu wlanen i gyfanwerthwyr. Daeth adfywiad eto yn ystod yr Ail Ryfel Byd, ond o 1947 ymlaen daeth dirywiad arall.

Ceir cyfeiriad at 'amlder o byscawt yn Aberystwyth' yn 1206 yn *Brut y Tywysogyon*. Roedd Aberystwyth yn brif borthladd pysgota sgadan yn y canol oesoedd, a pharhaodd y diwydiant yn un pwysig ar hyd arfordir y sir tan yr 20fed ganrif. Yn dilyn deddfau i hybu'r diwydiant yn y 18fed ganrif, cafwyd twf mawr mewn pysgota sgadan, er bod y mwyafrif o'r pysgotwyr yn parhau i ffarmio weddill y flwyddyn. Dirywiodd dylanwad Aberystwyth erbyn diwedd y 18fed ganrif, ond ceir pysgotwyr yn Aberaeron, Ceinewydd, Llangrannog ac Aberporth.

Erbyn 1914 daeth cyfnod Aberporth fel canolfan bysgota sgadan i ben, ac un cwch pysgota oedd yn Aberystwyth yn 1928. Erbyn 1939 roedd cyflogaeth yn y diwydiant yn dirwyn i ben, yn rhannol oherwydd prinder pysgod yn y mannau pysgota traddodiadol. Glaniwyd 938 can pwys o bysgod gwlyb yng Ngheinewydd yn 1913, ond erbyn 1937 dim ond 44 can pwys a laniwyd ar y cei. Arallgyfeiriodd rhai o'r pysgotwyr i ddal crancod a chorgimychiaid, ac ar ôl 1945 daeth hon yn un o brif farchnadoedd pysgotwyr yr arfordir. Yng Ngheinewydd glaniwyd 5.1 tunnell o gorgimychiaid ac 1.69 tunnell o grancod yn 1982.

Roedd ffarmio yn rhan annatod o gymdeithas yng Ngheredigion hyd at yr 20fed ganrif. Er bod ffarmio'n parhau yn elfen bwysig o'r economi a'r diwylliant lleol heddiw, bu newidiadau aruthrol yn y diwydiant hwnnw a oedd gynt yn rhan sylfaenol o'r gymdeithas wledig. Ym mhlwyf Troedyraur yn 1901 roedd naw o bob 10 cartref yn ymwneud ag amaeth mewn rhyw ffordd. Roedd cynnal ffarm yn waith llafurus cyn datblygiad peiriannau amaethyddol a'r tractor.

Hyd at droad yr 20fed ganrif roedd amser 'gosod tato mas' yn rhan bwysig o'r flwyddyn amaethyddol. Er mwyn sicrhau gweithlu ar gyfer y cynhaeaf ŷd, byddai tyddynwyr yn cael yr hawl i blannu tato ar dir ffarmwyr lleol gan addo gweithio i'r ffarmwr adeg y cynhaeaf. Gelwid y trefniant hwn yn 'ddyled gwaith', 'dyled cynhaeaf' neu 'ddyled tato'. Roedd tato'n bwysig i'r tyddynwyr oherwydd ei bod hi'n arferiad cadw mochyn mewn twlc ar waelod yr ardd, ac arferid bwydo'r tatws i'r moch. Roedd y ffermydd mawr yn ganolfannau i'r tyddynwyr lleol. O'r rheiny y deuai menyn, ynghyd â chaws, blawd ceirch a gwellt ar gyfer gwely'r mochyn. Ceid swêds adeg y Nadolig. Byddai rhai ffermydd yn trefnu trip i lan y môr i'w tyddynwyr, a byddai rhai ffermydd ar lannau afon Teifi yn caniatáu i dyddynwyr bysgota ar eu tir.

Rhennid gweithlu parhaol y ffermydd yn ddynion a menywod. Byddai'r dynion yn gyfrifol am drin y tir a'r gwaith llafurio cyffredinol a'r menywod yn gyfrifol am y da, y ffermdy a'r clos. Roedd angen dau bennaeth ar ffarm, sef 'mishtir' a 'mishtres'. Os nad oedd gŵr a gwraig i ddiwallu'r galw, roedd hi'n arferol i un o blant y pennaeth gamu i'r adwy. Gallai 'mishtres' hurio unigolyn a elwid yn 'feili'. Petai'r 'fishtres' yn priodi gwas er mwyn rheoli'r gwaith gwrywaidd, gelwid hwnnw'n 'wrwas'.

Y 'fishtres' oedd yn gyfrifol am y gweithlu benywaidd, boed y rheiny'n ferched y ffarm neu'n forwynion. Hi oedd yn gyfrifol am baratoi bwyd a chynhyrchu menyn a chaws. Roedd y llaethdy'n bwysig i economi'r ffarm, a'r menywod oedd yn gyfrifol am y da, glanhau'r stablau, llenwi ceirt gwrtaith a phlannu a chynaeafu'r tato. Nhw hefyd oedd yn godro'r da. Tiriogaeth y dynion oedd gwaith ucha'r ffarm. Roedd hyn, yn bennaf, yn golygu trin y tir gyda cheffylau, sef y 'gwaith ucha', a'r llafurio cyffredinol er mwyn cynnal y ffarm.

Pobol hŷn oedd yn rheoli'r ffermydd gan amlaf, cydag oedran priodi cymharol hen, tua 32 i ddynion a 28 i fenywod. Serch hynny, y gwŷr ifainc di-briod oedd yn tueddu i wneud y 'gwaith ucha' ar y ffarm.

Ni fyddai'r 'mishtir' yn gwneud dim gwaith llafurio ar y ffermydd mawrion, gan ganolbwyntio ar reoli'r gwaith a marchnata'r stoc da byw a'r casgenni menyn. Ef felly fyddai'n mynd i'r ffeiriau nes sefydlu'r 'mart' yn ystod y Rhyfel Mawr. Ef hefyd oedd yn rheoli'r tyddynwyr oedd yn tyfu tato ar ei dir, ac yn penderfynu pryd roedd angen iddynt ad-dalu'r 'ddyled tato'. Ar ffarm 260 o erwau gallai hyn olygu cydlynu 25 o deuluoedd, sef gweithlu ychwanegol o tua chant o bobol, gan gynnwys plant.

Y 'fishtres' oedd yn gyfrifol am y morwynion a'u gwaith, ac am werthu'r wyau a'r cynnyrch llaeth a menyn, ar wahân i'r casgenni menyn. Byddai 'mishtir' yn cael incwm o werthu stoc neu gasgenni menyn, a byddai'r ddwy ffynhonnell incwm yn cael eu gweinyddu ar wahân gan y 'mishtir' a'r 'fishtres'. 'Arian y clos' neu 'arian wye' oedd incwm y fishtres. Roedd gwahaniaeth hefyd rhwng 'gwas' a 'gweithwr'. Di-briod oedd y gweision, yn byw ar y ffarm ac yn tueddu i weithio gyda'r ceffylau, tra oedd 'gweithwr' fel arfer yn ddyn priod yn byw yn ei gartref ei hun. Y 'gweithwr' oedd yn gyfrifol am gynnal y cloddiau, y ffosydd a'r cwteri. Petai gwas yn priodi, byddai'n newid swydd i fod yn 'weithwr' ac ni fyddai'n gweithio gyda'r ceffylau rhagor.

Petai gwas neu 'weithwr' yn methu â pharhau gyda'i swydd, roedd hi'n bosib cael gwaith yn gofalu am y da ar ffermydd mawrion, ond ystyrid hyn yn waith israddol i ddynion. Doedd hi ddim yn arferol i ddynion odro da tan ddyfodiad y Bwrdd Marchnata Llaeth yn 1933, pan ddaeth y siec laeth yn rhan bwysig o incwm y ffarm. Byddai'r gweision a'r morwynion yn cael eu hurio unwaith y flwyddyn, ac yn gweithio ar y ffarm am flwyddyn tan y ffair ym mis Tachwedd. Roeddynt yn byw ar y ffarm gyda'r teulu, ac yn cael eu hadnabod yn lleol wrth enw'r ffarm, er enghraifft, fel 'gwas Llanfair'. Os nad oedd merch o'r ffarm ar gael, y brif forwyn oedd yn helpu'r 'fishtres' yn y llaethdy. Roedd cynhyrchu menyn yn dasg bwysig. Os oedd y brif forwyn yn gallu cyflawni'r dasg, roedd ganddi fwy o obaith priodi, oherwydd byddai ar unrhyw was a oedd am gael ei ffarm ei hun angen 'mishtres' a oedd yn deall gwaith y llaethdy.

Pan fyddai gwas yn sicrhau tenantiaeth ei hun, gwelai nad oedd angen llawer o beiriannau a byddai pob ffarm fechan yn cynnwys ei gweithlu ei hun. Roedd angen stoc, fodd bynnag, a byddai'r mwyafrif o'r stoc ar gael trwy gredyd. Roedd arwerthwyr yn cynnig chwe mis o gredyd. Os na fyddai'r ffarmwr yn gallu talu, byddai'r arwerthwr yn meddiannu'r stoc, yn hytrach na gorfodi ad-daliad. O 46 ffarm dros 30 o erwau ym mhlwyf Troedyraur yn 1900, roedd pump o'r rhain yn cael eu ffarmio gan gyn weision.

Yr un adeg pan fyddai ffermydd yn cydweithio oedd y cynhaeaf gwair. Roedd angen ei fedi mor sydyn â phosib, felly byddai ffermydd cyfagos yn gweithio ar ffermydd ei gilydd. Byddai pob ffarm yn anfon dyn gyda phladur a byddai pawb yn torri gwair tan ganol dydd, yna'n mynd yn ôl i'w ffermydd eu hunain i ofalu am y gwair yno. Yna byddai menywod a phlant cryf y grŵp gweithio yn gwasgaru'r gwair mewn tanfeydd cymesur. Ar ôl dau ddiwrnod byddai angen troi'r gwair, a'r menywod a'r plant fyddai'n gwneud y gwaith hwnnw. Ychydig ddyddiau wedi hynny llwythid y gwair ar gartiau a'i gludo i gael ei storio.

'Dechrau byd' oedd y term i ddisgrifio'r hyn fyddai'r pâr priod ifanc yn ei wneud wrth sefydlu eu hunain ar ffarm. Cyn magu plant a oedd yn ddigon hen i weithio ar y ffarm byddai gweision yn eu cynorthwyo, ond bwriad y pâr fyddai sefydlu eu plant yn weithwyr llawn-amser wedi iddynt gwpla'r ysgol. Byddai'r plant yn dysgu am y ffarm yn ifanc, yn hel y da ar gyfer godro, y bechgyn yn arwain ceffylau yn ifanc a'r merched yn cychwyn godro'r da pan oeddynt tua 12 oed. Erbyn i'r bechgyn fod yn 14 byddent yn gallu rheoli ceffyl a chart, a thua'r oedran hwnnw byddent yn cael defnyddio pladur am y tro cyntaf. Pan oedd tua 15 oed byddai'r mab yn symud i fyw gyda'r gweision yn y llofft uwchben y stabl neu'r sgubor, a dechrau ei fywyd annibynnol.

Wrth i'r plant gyrraedd yr oedran i weithio ar y ffarm byddai nifer y gweision yn lleihau. Am rai blynyddoedd ni fyddai'r plant yn cael cyflog nac arian, wrth i'w rhieni geisio cynilo digon o arian i gefnogi eu plant er mwyn iddynt allu sefydlu eu hunain ar ffermydd cyfagos. Ni allai pâr ifanc briodi nes byddai ffarm ar gael iddynt, a byddai angen cefnogaeth a chaniatâd y rhieni er mwyn sicrhau hyn. Roedd etifeddiaeth, felly, yn cael ei derbyn wrth briodi yn hytrach na phan fyddai'r rhieni'n marw.

Roedd y briodas yn ddigwyddiad o bwys i'r holl gymuned, gyda phobol leol yn ymgasglu ar y ffarm er mwyn talu 'pwython' i'r pâr priod, sef anrheg o arian neu gyfraniad cyfatebol. Byddai cyfanswm y 'pwython' yn gyfraniad pwysig wrth i'r pâr priod geisio sefydlu eu hunain ar ffarm. Cofrestrid pob rhodd mewn llyfr er mwyn sicrhau bod rhoddion unigolion yn cael eu had-dalu pan fyddai eu plant nhw'n priodi. Ceir cofnod o 195 o gyfranwyr i briodas merch saer coed ar ffarm Cwmul ger Llandysul yn 1825, a'i darpar ŵr hefyd yn cael rhoddion yn ei gartref ei hun.

'Neithior' oedd yr enw ar y broses hon, ac roedd yn clymu'r gymuned at ei gilydd, gyda dyledion 'neithior' yn cael eu trosglwyddo o genhedlaeth i genhedlaeth. Daeth y trefniant hwn i ben erbyn dechrau'r 2ofed ganrif, yn bennaf am fod cynifer o'r boblogaeth yn mudo o'r ardal i chwilio am waith, ac felly nid oedd sicrwydd y gellid hawlio ad-daliadau. Tua'r 1870au hefyd dirywiodd y traddodiad o hurio gweision yn y ffeiriau, eto am fod yna ddiffyg gweithwyr oherwydd y mudo o'r ardal.

Yn 1861 roedd 90% o drigolion plwyf Troedyraur wedi eu geni yn y plwyf neu blwyfi cyfagos, a 54% wedi eu geni ym mhlwyf Troedyraur. Dechreuodd y broses ymfudo yn yr 1850au a'r 1860au, a chynyddodd yn ystod y dirwasgiad amaethyddol ar ddiwedd y ganrif. Symudodd un rhan o chwech o boblogaeth plwyf Troedyraur yn yr 1920au, ac erbyn yr 1930au roedd hi'n amhosib cael tenantiaid i'r ffermydd llai. Daeth peiriannau newydd i'r sir, a'r peiriant 'pigo tato' yn dod yn boblogaidd yn ystod y Rhyfel Mawr. Cyflwynwyd y peiriant lladd gwair am y tro cyntaf tua 1890, a daeth yn declyn cyfarwydd ym mlynyddoedd cyntaf yr 2ofed ganrif.

Ym myd y merched, tua 1900 daeth y 'separator' ar gyfer gwahanu'r llaeth a'r hufen. Pan sefydlwyd y Bwrdd Marchnata Llaeth yn 1933 daeth diwedd ar y rhan fwyaf o waith y llaethdy ar y ffarm, oherwydd bod y ffarmwr erbyn hyn yn dibynnu ar daliadau cyson am ei laeth yn hytrach na gwerthiant lleol. Yn dilyn yr Ail Ryfel Byd, daeth y tractor a pheiriannau amaethyddol yn gyffredin trwy'r sir, a daeth diwedd ar waith y ceffyl.

Hyd at yr 1890au gwartheg duon Cymreig oedd mwyafrif y da yn y sir, ond cyflwynwyd gwartheg byrgorn ar droad y ganrif, ac ymhen amser cyflwynwyd bridiau amrywiol o wartheg o'r cyfandir. Sefydlwyd cymdeithasau amaethyddol drwy'r sir ar ddechrau'r 2ofed ganrif, gan gyflwyno dulliau gwrteithio newydd a dulliau ffarmio cyfoes. Cafodd y Vale of Tivy Agricultural Society ei sefydlu ar Chwefror yr 17eg, 1902. Ceid hefyd fath o ddafad a elwid yn Ddafad Llanwenog, a grëwyd ryw ddau gan mlynedd yn ôl trwy groesi dafad ben-ddu a elwid yn Ddafad Llanllwni â'r ddafad Shropshire.

Sefydlwyd ffatri laeth ger gorsaf reilffordd Pontllanio yn 1896, ond gwerthiant lleol oedd ei phrif farchnad ar y cychwyn. Bu mentrau cydweithredol yn ceisio hybu gwerthiant llaeth hylif o'r 1920au, ond erbyn 1939 dim ond 8% o dda godro oedd yn cael eu godro â pheiriant, a dim ond 15% o'r ffermydd oedd â chyflenwad trydan. Yn sgil sefydlu'r Bwrdd Marchnata Llaeth, agorwyd ffatri newydd Pontllanio yn Hydref 1937 a daeth gwerthiant llaeth yn brif gynnyrch amaethyddol Ceredigion. Erbyn 1950 roedd ffatri Pontllanio yn derbyn 30,000 galwyn o laeth y dydd ac yn cyflogi dros 120 o staff. Yn dilyn streic gan y gyrwyr lori yn 1969, caewyd y ffatri a'r orsaf reilffordd yn 1970.

Dechreuodd nifer o'r ystadau traddodiadol werthu tir o'r 1870au ymlaen. Cynyddodd y broses hon ar ddechrau'r 2ofed ganrif ar ôl y dirwasgiad amaethyddol. Yn 1910 roedd y boneddigion yn berchen ar hanner cant o ddarnau o dir ym mhlwyf Troedyraur, ond erbyn 1921 dim ond 18 oedd yn nwylo'r tirfeddianwyr mawrion. Rhwng 1918 ac 1922 rhoddwyd o leiaf chwarter y ffermydd a oedd yn eiddo i ystadau yng Nghymru ar y farchnad, a'r mwyafrif yn cael eu prynu gan denantiaid. Cyn y Rhyfel Mawr roedd 10% o ffarmwyr Cymru yn rhydd-ddeiliaid, ond erbyn 1922 roedd 35% yn berchen ar eu ffermydd, ac erbyn 1970 roedd 64% o'r ffermydd yn eiddo i amaethwyr. Mewn trigain mlynedd roedd y rhydd-ddeiliaid wedi disodli'r ystadau a fu'n rheoli'r dirwedd ers y canol oesoedd.

Newidiodd y berthynas rhwng y werin bobol a'r

boneddigion o ganlyniad i'r newidiadau. Roedd Deddf y Tlodion yn 1601 wedi sicrhau bod rheolaeth y wlad yn nwylo'r boneddigion, fel Ustusiaid Heddwch a rheolwyr y cymunedau lleol. Nhw oedd yn gweinyddu llywodraeth leol yn ogystal â'r broses gyfreithiol, gan gynnwys Cyfraith y Tlodion a mesurau iechyd cyhoeddus, a'r gwaith o gynnal ffyrdd a phontydd. Roedd rhaid cael incwm o £100 y flwyddyn yn uniongyrchol o'r tir cyn cael apwyntiad gan y goron i'r Comisiwn Heddwch.

Daeth Deddf Llywodraeth Leol yn 1888 i newid hyn i gyd, gan sefydlu cynghorau sir a oedd yn ethol aelodau heb angen iddynt fod yn dirfeddianwyr. Rhannwyd hefyd y cyfrifoldeb dros yr heddlu rhwng y cynghorau a'r ynadon, ac yn 1906 daeth Deddf Ustusiaid Heddwch i ddileu'r angen i fod yn berchen tir er mwyn bod yn ynad. Cyn 1888 y boneddigion yn unig oedd yn gweinyddu llywodraeth leol. Pan gynhaliwyd yr etholiadau cyntaf i'r Cyngor Sir yn Ionawr 1889 roedd 10 o'r boneddigion ar y cyngor, ond roedd 38 cynghorydd arall, a masnachwr glo oedd cadeirydd y cyngor.

Trawsnewidiwyd yr ucheldiroedd yn yr 20fed ganrif. Yn 1914, dim ond 5% o arwynebedd Cymru oedd dan goed. Oherwydd y pryder fod Prydain yn orddibynnol ar fewnforio coed, sefydlwyd y Comisiwn Coedwigaeth yn 1919. Yn yr hanner canrif wedi hynny bu cynnydd chwephlyg yn y tir a glustnodwyd ar gyfer coedwigoedd masnachol. Yn 1919 penodwyd George Stapledon yn Ymgynghorydd Botaneg Amaethyddol yn Aberystwyth, a daeth hefyd yn Gyfarwyddwr cyntaf Bridfa Blanhigion Cymru. Byddai gwaith yr adran newydd yn cyflwyno mathau o laswellt a oedd yn cynyddu'r maeth mewn tiroedd pori, a disodlwyd glastir naturiol gan borfa hybrid.

Hyd at ddiwedd y 19eg ganrif, gwelid Ceredigion yn aml fel rhywle ar wahân i weddill Prydain. Ymwelwyr estron oedd yn disgrifio'r sir a'i thrigolion mewn ysgrifau. Roedd Ceredigion yn un o ardaloedd tlotaf Cymru, ac mae'r ffigyrau cyfrifiad ar ddiwedd y 19eg ganrif yn adlewyrchu'r duedd i fudo er mwyn cael gwaith. Lleihaodd poblogaeth y sir am y tro cyntaf ers sefydlu'r cyfrifiad yn 1801. Rhwng 1881 ac 1891 lleihaodd y boblogaeth o 70,270 i 62,230, cwymp o 11% mewn cyfnod pan gynyddodd poblogaeth Cymru 13%. Dirywiodd y fasnach fôr ac roedd y rheilffordd yn fodd i adael y sir, a hynny yn ystod dirwasgiad amaethyddol.

Roedd gan y cyfryngau ran wrth ddiffinio'r Cardi. Yn yr 1860au sefydlwyd y *Cambrian News* (1860) a'r *Tivy-side Advertiser* (1866) ac yna'r *Welsh Gazette* yn 1899 ac *Y Cardi* yn 1902. Roedd ymwybyddiaeth genedlaethol yn ffynnu lledled Cymru, a datblygodd y syniad fod trigolion Ceredigion yn cynrychioli rhyw deip o Gymro a oedd yn wledig ac yn gysylltiad â safonau'r gorffennol. I bobol oedd â diddordeb yn yr hen draddodiadau, roedd y sir yn cael ei hadnabod fel rhywle lle roedd yr hen ffordd o fyw yn parhau. Erbyn hyn roedd pellter cymharol yr ardal oddi wrth y dylanwadau trefol yn cael ei ystyried gan rai fel ffactor bositif, er mwyn cynnal traddodiadau amaethyddol, diwylliannol a chymdeithasol. Roedd bwyd yn elfen o hyn, gan fod cawl yn cael ei ystyried yn arbenigedd y sir, wedi datblygu o'r rheidrwydd i greu pryd bwyd cynhaliol o gynhwysion cyffredin. Yn 1903 disgrifiwyd cawl gan yr awdur A G Bradley fel 'a Cardiganshire speciality', ac roedd yn symbol pwysig o fywyd y brodorion mewn cyfnod pan oedd trafnidiaeth a chyfalafiaeth yn trawsnewid y bwydydd oedd ar gael i Gymry trefol.

Gwelir yr un diddordeb yn y gorffennol yn llyfrau'r awdures Allen Raine, a anwyd yng Nghastell Newydd Emlyn.

Lleolir nifer o'i llyfrau mewn pentrefi arfordirol tebyg i Dresaith lle roedd hi'n byw yn ystod ei blynyddoedd olaf. Gwerthwyd dwy filiwn o'i llyfrau erbyn 1909, adlewyrchiad o ofid ei darllenwyr am orffennol oedd yn prysur ddiflannu. Yn ôl Allen Raine, 'modern ways are beginning to rob life of its romance and picturesqueness even here'.

Tra oedd y sir yn cael ei mesur ochr yn ochr â datblygiadau diwydiannol y de, roedd hi hefyd yn cael ei gweld fel ardal ddiwylliannol werthfawr, lle roedd addysg yn fodd pwysig i ddatblygu, ac yn ardal oedd yn cyflenwi athrawon ac addysgwyr i gynnal y diwylliant Cymreig. Roedd diwedd y ganrif yn gyfnod pan ddaeth addysg yn rhan ganolog o ddiwylliant y Cardi. Ers sefydlu Coleg Prifysgol Aberystwyth yn 1872 roedd 117 o'r 313 o fyfyrwyr a fu'n astudio yno yn ystod yr wyth mlynedd cyntaf yn dod o Geredigion. Sefydlwyd y Brifysgol mewn adeilad hynod a oedd wedi'i godi ar lan y môr yn 1791–94. Prynwyd adeilad Castle House gan Thomas Savin, hyrwyddwr y rheilffordd, yn sail ar gyfer gwesty moethus yn 1864. Erbyn 1866 roedd Savin yn fethdalwr, ac er iddo wario £80,000 ar yr adeilad fe'i gwerthwyd i drefnwyr y Brifysgol am £10,000. Mae'r 'Hen Goleg' yn rhan o'r Brifysgol o hyd.

Roedd llwyddiant nifer o Gardis ar y Llwybr Llaethog i Lundain hefyd yn cael ei ystyried yn esiampl o ddyfeisgarwch y Cardi, gyda llwyddiant ar strydoedd Llundain yn arwydd o allu'r unigolyn i fentro a ffynnu yn y byd newydd. Gwelid y Cardi fel rhywun carcus, yn ofalus gyda'i arian, yn hunangynhaliol.

Yn 1921 roedd y cyfrifiad wedi cofrestru dirywiad yn nifer y siaradwyr Cymraeg yng Nghymru am y tro cyntaf, a daeth Ceredigion i gynrychioli canolfan bwysig ym mharhad yr iaith a'r diwylliant Cymraeg yn ne Cymru. Ffurfiwyd Urdd Gobaith Cymru yn 1923, a Plaid Cymru yn 1925, yn arwydd o ymwybyddiaeth genedlaethol newydd. Sefydlwyd Gwersyll yr Urdd yn Llangrannog yn 1932. Yn 1921 ac 1931 roedd dros 80% o boblogaeth y sir yn siarad Cymraeg, ac roedd rhai o ffigyrau amlycaf y blaid newydd yn cynnwys dau Gardi, yr hanesydd William Ambrose Bebb a'r dramodydd James Kitchener Davies.

Serch hynny, ceir disgrifiadau crafog hefyd, fel yng ngwaith yr awdur Caradoc Evans o Rydlewis. Yn ei lyfrau, fel *My People* a *Capel Sion*, mae'n creu darlun o'r Cardi fel rhywun twyllodrus, boed hwnnw'n weithiwr cyffredin neu'n aelod blaengar o'r capel lleol. O'r ffarmwr sy'n ceisio niweidio'i forwyn am ei bod hi'n feichiog gyda'i blentyn, i gulni'r gymdeithas gapel, mae'r Cardi yn llyfrau Caradoc Evans yn hollol wahanol i'r teip gwledig, cyfeillgar a gonest a geir mewn nifer o ddarluniau eraill. Yn ei lyfr *My Neighbors: Stories of the Welsh People*, dywed un cymeriad 'like the old Welsh of Cardigan is your cunning'. Bu Dylan Thomas hefyd yn byw yn y sir am gyfnodau, yng Ngheinewydd a Thalsarn, ac yn y stori 'Where Tawe Flows' o'r casgliad *Portrait of the Artist as a Young Dog* mae un o'i gymeriadau'n honni 'The Cardies always go back to Wales to die when they've rooked the cockneys and made a packet.'

Cyhoeddwyd dau lyfr yn yr 1930au oedd yn tanlinellu rhan flaengar y sir yn cynnal hen draddodiadau. Ysgrifennodd T Gwynn Jones *Welsh Folklore and Folk Custom* yn 1930, ac roedd 12 o'r 48 cyfrannwr yn dod o Geredigion. Un o'r rhain oedd Evan Isaac, pregethwr Wesleyaidd o ogledd y sir a gyhoeddodd *Coelion Cymru*, ei gasgliad ei hun o straeon gwerin, yn 1938. Er mai straeon o Gymru gyfan oedd pwnc y llyfr, roedd rhan helaeth o'r deunydd yn dod o Geredigion, ardal lle roedd ofergoeliaeth a chrediniaeth mewn hen straeon yn parhau. Yn *Cymru a'i Phobl*, yn 1931, mae Iorwerth C Peate yn nodi pobol yn rhannu Cymru'n dair rhan, sef y Gogledd, y De a Cheredigion. Parhaodd Peate i weld y sir fel lle ar wahân i weddill Cymru, yn unigryw, yn ddiwylliant hunangynhaliol ond yn ynysig.

Daeth 'faciwis' i Geredigion yn ystod yr Ail Ryfel Byd, ac roedd gofid am ddylanwad y mewnfudwyr di-Gymraeg yn rhan o'r ysgogiad dros sefydlu Ysgol Gymraeg yr Urdd yn Aberystwyth yn 1939. Daeth carcharorion rhyfel i Wersyll Carcharorion Rhif 70 yn Henllan, ac adeiladwyd Eglwys y Galon Sanctaidd gan garcharorion Eidalaidd y tu fewn i un caban yn y gwersyll yn 1944. Roedd y carcharorion yn gweithio ar ffermydd lleol, ac ymsefydlodd tua deugain o'r rhain yn yr ardal ar ôl y rhyfel. Adeiladwyd cryndo o goncrit yn yr eglwys yn y caban, gyda ffresco o'r Swper Olaf wedi'i baentio gan Mario Ferlito, un o'r carcharorion ieuengaf. Mae'r safle mewn dwylo preifat heddiw ers iddo gael ei brynu oddi wrth Gyngor Sir Aberteifi yn 1960 gan Bob Thomson, milwr o ardal Dundee a oedd wedi ymsefydlu yn yr ardal ar ôl y rhyfel.

Wedi'r Ail Ryfel Byd daeth newidiadau pellach i'r gymdeithas Brydeinig a Chymreig a gwelid y rhain yn y sir. Daeth dylanwad diwylliant Eingl-Americanaidd, newidiadau yn rôl menywod a phobol ifainc, a'r gymdeithas prynwyr. Roedd ffyn mesur y gymdeithas, anghydffurfiaeth a rhyddfrydiaeth, yn cael eu herydu ac roedd mwy o ofid am ddyfodol yr iaith yn y sir. Yn dilyn yr araith radio 'Tynged yr Iaith' gan Saunders Lewis yn Chwefror 1962, sefydlwyd Cymdeithas yr Iaith mewn cyfarfod ym Mhontardawe, a chynhaliwyd y brotest gyntaf ar bont Trefechan yn Aberystwyth yn Chwefror 1963. Ymysg yr aelodau cyntaf roedd Gwilym Tudur, perchennog Siop y Pethe ar Sgwâr Glyndŵr yn Aberystwyth.

Protestio di-drais oedd meddylfryd y Gymdeithas, a oedd yn brwydro dros hawliau cyfreithiol i'r iaith, gan gynnwys arwyddion ffyrdd dwyieithog a sefydlu sianel deledu a gorsaf radio Gymraeg. Mae prif swyddfa Cymdeithas yr Iaith ar Rodfa'r Môr yn Aberystwyth. Yr hanesydd Dr John Davies oedd ysgrifennydd cenedlaethol cyntaf y Gymdeithas. Cafodd ei eni yn Llwynypia, Cwm Rhondda, ond symudodd gyda'i fam i Fwlchllan yn ardal Tregaron pan oedd yn saith oed, a chafodd addysg yn Ysgol Tregaron. Ar ôl bod yn astudio yng Nghaerdydd a Chaergrawnt, bu'n ddarlithydd mewn Hanes Cymru ym Mhrifysgol Aberystwyth rhwng 1973 ac 1990, a bu hefyd yn warden Neuadd Pantycelyn. Yno yr ysgrifennodd y rhan helaeth o'i gampwaith *Hanes Cymru*, a gyhoeddwyd yn 1990, y llyfr Cymraeg cyntaf i'w gyhoeddi gan wasg Penguin. Roedd hefyd yn olygydd cyffredinol *Gwyddoniadur Cymru* a gyhoeddwyd yn 2008. Roedd yn un o gymeriadau pwysicaf bywyd diwylliannol y Gymru fodern, a saif ei lyfr ar hanes Cymru fel un o gyhoeddiadau mawr y genedl.

Cafwyd ymateb chwyrn gan Gymdeithas yr Iaith i ffigurau'r cyfrifiad yn 2011 a sefydlwyd y 'Maniffesto Byw', sy'n ceisio hawlio tegwch i'r iaith a sicrhau dyfodol cynaliadwy i gymunedau Cymraeg. Ganrif ynghynt roedd dros 80% o'r boblogaeth yng Ngheredigion yn siarad Cymraeg, ond erbyn 1991 roedd y gyfran wedi syrthio i 59%, ac erbyn 2001 dim ond 52% oedd yn siarad Cymraeg. Erbyn cyfrifiad 2011 roedd y ffigwr wedi gostwng eto i 47.3% o'r boblogaeth. Yn 1901 roedd 50.4% o'r boblogaeth yn datgan eu bod yn uniaith Gymraeg.

Mae ieithwedd Gymraeg y sir hefyd wedi newid yn yr 20fed ganrif, dan ddylanwad yr iaith Saesneg a ffactorau eraill fel y cyfryngau cenedlaethol, a gwelwyd y gwahaniaeth ieithyddol rhwng ardaloedd yn lleihau. Y tu fewn i Geredigion ystyrir mai afon Wyre yw'r ffin ieithyddol, a'r ieithwedd i'r gogledd o'r afon ger Llanrhystud yn ymdebygu fwy i Gymraeg y gogledd, a'r iaith i'r de, yn enwedig o gwmpas afon Teifi, yn debycach i Gymraeg gogledd Sir Benfro a Sir Gâr.

Yn ne'r sir ceir geiriau unigryw fel 'bwncath', yn hytrach na boda, a'r ysbryd lleol yw'r 'bwci-bo'. Mae'r llyfr *Fyl'na Weden I* gan Huw Evans a Marian Davies, sy'n olrhain tafodiaith canol Ceredigion, yn cynnwys geiriau fel 'bisto' am gi bach, 'cintachu' am gwyno, 'clwbyn' am fonclust, 'cynhebrwng' am angladd a 'matryd' am ddadwisgo. Mae 'pwdryn' yn rhywun diog, 'randibŵ' yn sŵn a helynt, 'rebestela' yn air am wastraffu amser, a chariadon yn 'sboner' am fachgen neu'n 'wejen' am ferch. Gall rhywun 'stranco' os yw'n pwdu, cymryd 'tracht' wrth yfed neu 'becso' os yw'n poeni.

Os yw gwraig dyn yn iach gall ddweud ei bod hi 'fel poni'. Os yw hi'n dost mae hi 'fel giâr glwc'. Mae 'clapgi' yn hel clecs tra mae rhywun nad yw'n hael iawn yn 'cadw draenog yn ei boced'. Mae 'fel bola buwch' yn dywyll iawn ac 'fel hwch yn niwl' yn hollol ddigyfeiriad. Tra bod ychydig o'r eirfa a'r dywediadau hyn wedi'u hamsugno yn ehangach i'r iaith Gymraeg heddiw, mae'n ddifyr nodi bod y newidiadau cymdeithasol sy'n effeithio ar y Gymru fodern hefyd yn arwain at erydiad yn y gwahaniaethau ieithyddol daearyddol a oedd yn bodoli gynt.

Ers cyflwyno'r bleidlais gudd yn dilyn yr etholiad 'troi mas' yn 1868, bu Sir Aberteifi yn gadarnle i'r Rhyddfrydwyr, ond etholwyd yr Aelod Seneddol Llafur cyntaf yn y sir yn 1966. Y cyn aelod o Blaid Cymru, Elystan Morgan, oedd yn fuddugol gyda mwyafrif o 523 pleidlais. Erbyn 1974, fodd bynnag, etholwyd Rhyddfrydwr unwaith eto, sef Geraint Howells, a oedd yn dod o gefndir amaethyddol a'i deulu'n ffarmio'r tir ers 400 mlynedd.

Yn 1992 enillodd Plaid Cymru y sedd etholiadol am y tro cyntaf, ac etholwyd y cyn athro ysgol Cynog Dafis o Dalgarreg ar ran Plaid Cymru ar y cyd â'r Blaid Werdd. Ef felly oedd yr Aelod Seneddol cyntaf i gynrychioli'r Blaid Werdd ym Mhrydain. Daeth Simon Thomas o Blaid Cymru i'r sedd yn dilyn Cynog Dafis, ond yn 2005 enillodd y Rhyddfrydwr Mark Williams, ac ef sy'n parhau i gynrychioli'r sir yn San Steffan ar ôl Etholiad Cyffredinol 2015, unig Aelod Seneddol y Democratiaid Rhyddfrydol yng Nghymru.

Yn y Refferendwm i sefydlu Cynulliad yng Nghymru yn 1997, pleidleisiodd 65.3% o'r pleidleiswyr o blaid y mesur, yr ail ffigwr uchaf yng Nghymru. Yn 1999 etholwyd Elin Jones, cyn faer Aberystwyth sy'n dod yn wreiddiol o Lanwnnen, yn Aelod Cynulliad dros y sir. Hi yw'r fenyw gyntaf i gynrychioli'r sir ar lefel genedlaethol.

Yn 1974 daeth y sir yn rhan o awdurdod unedig Dyfed. Ar yr un pryd mabwysiadwyd yr enw Ceredigion ar gyfer y cyngor dosbarth. Yn 1996 rhannwyd Dyfed eto yn dair sir, a phenderfynwyd cadw'r enw Ceredigion yn lle'r hen Sir Aberteifi. Tra oedd yr enw yn mynd yn ôl i adlewyrchu'r hen deyrnas Gymreig, roedd y boblogaeth yn parhau i newid dan bwysau ymfudo. Yn 1991 roedd 64.2% o boblogaeth Ceredigion wedi'u geni yng Nghymru, gan ddisgyn i 58.6% yn 2001. Allan o boblogaeth o 74,941 yn 2001, cafodd 31,038 eu geni y tu hwnt i'r ffin.

Cyflwynwyd y Ddeddf Amaeth gan lywodraeth Lafur yn 1947, a oedd yn gyfrifol am gymorthdaliadau, grantiau a thaliadau a chynlluniau i hybu'r sector. Rhwng 1950 ac 1974 cynyddodd nifer y defaid yng Nghymru o 3.8 miliwn i 6.7 miliwn. Yn 1950 prynodd y Bwrdd Marchnata Llaeth 180 miliwn o alwyni o laeth gan 30,000 o gyflenwyr. Erbyn 1970 roedd 15,000 o gyflenwyr yn cynhyrchu 279 miliwn o alwyni.

Cynyddodd maint y ffermydd, gan ddefnyddio mwy o wrtaith cemegol. Yn 1945 roedd tua 40,000 o ffermydd yn cynnal teuluoedd yng Nghymru, ond erbyn yr 1980au roedd y ffigwr hwn wedi haneru. Fel yng ngweddill Cymru wledig, roedd hyn yn golygu bod stoc o dai amaethyddol bellach ar gael yng Ngheredigion, ac fe gafodd hyn effaith ar y gymdeithas leol wrth i nifer y mewnfudwyr gynyddu.

Un traddodiad sy'n parhau o hyd fel icon y Cardi gwledig yw'r merlod a'r cobiau. Sefydlwyd Cymdeithas y Merlod a'r Cobiau Cymreig yng Ngheredigion yn 1901, ac mae'r ganolfan yn parhau hyd heddiw ar gyrion Felinfach yn Nyffryn Aeron. Cynhaliwyd chwe Sioe Frenhinol gyntaf Cymru yn Aberystwyth rhwng 1904 ac 1909 dan yr enw Sioe y Gymdeithas Amaethyddol Genedlaethol Gymreig. Roedd 44% o'r 95 o geffylau yn y sioe gyntaf yn dod o Geredigion, ac er mai dim ond 4% a ddaeth o Geredigion yn sioe 2009, cysylltir y traddodiad cobiau â'r sir o hyd.

Un o'r enwocaf o'r rhain oedd Brenin Gwalia, march David Rees a oedd yn gwasanaethu tua chant o gesig y flwyddyn ac a enillodd gystadleuaeth y ceffyl gwryw gorau yn Sioe Frenhinol 1947. Ymysg rhai o arloeswyr cynnar y traddodiad roedd William Williams, Dolgoch (1698–1773), a fu'n Uwch Siryf Sir Aberteifi. Fe'i gelwid yn 'frenin y mynyddoedd'. Roedd yn berchen ar dir mewn tair sir, 4,015 o ddefaid a 500 o ferlod mynydd. Dywedir ar un cyfnod ei fod yn berchen ar 20,000 o ddefaid, ond bod y mwyafrif o'r rhain wedi marw yn ystod gaeaf garw 1772–73. Gwelir arwydd o bwysigrwydd y ceffyl yn nigwyddiad Sadwrn Barlys, sy'n cael ei gynnal yn flynyddol yn Aberteifi ar ddiwedd Ebrill. Pan sefydlwyd y traddodiad ganol y 19eg ganrif, disgwylid i'r barlys fod wedi'i hau erbyn y diwrnod hwn. Hwn oedd y cnwd olaf i'w hau ac roedd yn elfen bwysig o'r bara a gynhyrchid ar y pryd.

Cynyddodd y dirywiad yn nylanwad yr ystadau mawrion yn ystod yr 20fed ganrif, yn enwedig ar ôl i'r llywodraeth gynyddu'r dreth ystadau o 20% yn 1914 i 40% yn 1925. Daeth diwedd ar yr ystadau mawrion fel Trawsgoed, Gogerddan a Nanteos, a dinistriwyd gweddillion Hafod, Derry Ormond, Cilbronnau a Llangoedmor yn yr 1950au. Mae nifer o'r adeiladau'n parhau i gael eu defnyddio heddiw, ond defnydd amgen ydyw, megis gwestai Nanteos a Falcondale. Mae rhai, gan gynnwys Alltyrodyn a Llanfair yng Nghapel Dewi, yn parhau'n gartrefi ac mae nifer o rai eraill wedi troi'n ffermdai.

Yn 1958 prynodd fy nhad-cu ffarm Nantegryd yng Nghapel Dewi (a fu'n eiddo i deulu'r sgweiriaid Thomas o Lanfair ar ddiwedd y 19eg ganrif) ac ychwanegodd diroedd a ffarm fechan Bancyrhenbant yn 1962. Bu hwn ar un tro yn rhan o ystad Alltyrodyn, ac yna'n rhan o ystad Plas Henbant. Heddiw mae Nantegryd yn gartref i swyddfa Llaeth Cymreig Cyf., cwmni cydweithredol o dros gant o ffarmwyr llaeth o Geredigion, Sir Gâr a Sir Benfro. Mae fy wncwl Jaci yn un o gyfarwyddwyr y cwmni. Mae'r cwmni'n cynnal tanceri a gyrwyr er mwyn trosglwyddo llaeth i hufenfaoedd ar draws y wlad, ynghyd â cheisio sicrhau bywoliaeth i ffarmwyr llaeth yr ardal mewn cyfnod anodd i'r ffarmwr traddodiadol. Yn 1911 roedd 10,663 o bobol yn gweithio yn y diwydiant amaethyddol yng Ngheredigion, ond erbyn 2001 dim ond 2,564 oedd yn gweithio yn y sector 'amaeth, hela a choedwigaeth'.

Daeth cerbydau modur i'r ffyrdd yn yr 20fed ganrif, a gwelwyd y tacsi modur cyntaf yn Aberystwyth yn 1901. Prynodd J M Daniel y car cyntaf yn Aberteifi yng Ngorffennaf 1904. Cyflwynwyd yr heddwas symudol cyntaf yn 1934, ond erbyn 1958 dim ond chwe heddwas symudol oedd yn y sir. Roedd y car yn hwyluso teithio o fewn y sir, yn enwedig ar ôl cau'r rheilffyrdd yn sgil Adroddiad Beeching yn 1963. Cafodd effaith ar dwristiaeth, gydag ymwelwyr yn gallu teithio i'r traethau a'r garafán yn cyrraedd cefn gwlad. Yn 1978 roedd 41 o safleoedd carafannau ar hyd yr arfordir, a 74 yn y sir gyfan. Erbyn 1968 roedd 1,400 o garafannau yn Borth.

Trawsnewidiwyd economi a chymdeithas Aberporth yn sgil dyfodiad y *Projectile Development Establishment* a'r *Army Artillery Practice Camp* yn yr 1930au. Adeiladwyd stribyn glanio i awyrennau ar dir Pen-cnwc, a datblygodd y safle yn RAE Aberporth. Erbyn heddiw mae cwmni QinetiQ yn gweithredu'r unig safle ym Mhrydain sy'n hedfan cerbydau awyr heb griw, neu drôns. Mae Ardal Berygl yn dal i fodoli ar yr arfordir o gwmpas y safle a radiws o 11km o gwmpas y safle yn Ofod Awyr Cyfyngedig, er mwyn i'r ganolfan allu cynnal profion. Adeiladwyd cartrefi i weithwyr y safle gerllaw, ac mae'r ganolfan yn un o brif gyflogwyr yr ardal.

Parhaodd y dirywiad yn nifer y bobol ar ddechrau'r ganrif, gyda 53,278 o drigolion yn 1951, y cyfanswm lleiaf ers 1811. Ond cynyddodd y boblogaeth yn ail hanner y ganrif, gyda 74,491 o bobl yn 2001, o'u cymharu â'r uchafswm cynt o 73,441 yn 1871. Yn 2011 roedd 75,900 o bobol yn y sir. Er i safonau byw godi yn yr 20fed ganrif, roedd Ceredigion yn dal i lusgo y tu ôl i weddill y wlad. Yn 1951 roedd 56% o'r tai yn dal heb dŷ bach, tra oedd y cyfartaledd dros Gymru a Lloegr yn 21%. Roedd hanner y tai heb gyflenwad dŵr piben, a 69% o dai heb faddon. Hyd yn oed ar ddechrau'r 21ain ganrif roedd 14.5% o dai heb wres canolog o'u cymharu â chanran o 8.5% yng Nghymru a Lloegr.

Yn yr 20fed ganrif daeth yr ysgolion pentref yn ganolfannau cymdeithasol ar hyd y sir, ond erbyn heddiw mae nifer o'r rhain yn cau er mwyn creu ysgolion mawr yn gwasanaethu ardaloedd eang. Yn 1951 y sir oedd y gyntaf i rannu addysg yn ysgolion cynradd ac ysgolion uwchradd, ac yn 1951 roedd Sir Aberteifi wedi cyflwyno'r Gymraeg fel pwnc addysg gorfodol at safon Lefel O. Lle bu'r 'Welsh Not' yn rhan o system a oedd yn mynnu cyflwyno addysg Saesneg i'r Cymry uniaith Gymraeg ar ddiwedd y 19eg ganrif, datblygodd system addysg yng Ngheredigion yn y ganrif nesaf a oedd yn hybu'r Gymraeg.

Mae Coleg Ceredigion yn Aberteifi ac Aberystwyth, a Phrifysgol Dewi Sant yn Llanbed erbyn hyn yn rhan o Grŵp Prifysgol Cymru y Drindod Dewi Sant. Cafodd canolfannau addysg bellach effaith sylweddol ar drefi, gyda phoblogaethau Llanbed ac Aberystwyth yn enwedig yn chwyddo a chrebachu wrth i filoedd o fyfyrwyr gyrraedd a gadael ar ddechrau a diwedd pob tymor academaidd. Datblygwyd safle Penglais yn Aberystwyth yn yr 1960au, gan ehangu nifer y myfyrwyr, a nifer o'r rhain o'r tu hwnt i'r ffin. Yn 1960 roedd 66% o'r myfyrwyr yn Aberystwyth yn Gymry, ond erbyn 1969 dim ond 37% o'r 2,000 oedd yn Gymry. Tyfodd Prifysgol Dewi Sant yn Llanbed yn yr un cyfnod, yn enwedig pan ddaeth yn rhan o Brifysgol Cymru yn 1971. Erbyn 1993 roedd 4,804 o fyfyrwyr yn Aberystwyth a 1,260 yn Llanbed.

Er bod 71.8% o'r boblogaeth wedi datgan eu bod yn Gristnogion yng nghyfrifiad 2001, mae rhan crefydd yn y gymdeithas wedi newid. Cafwyd adfywiad crefyddol yn 1904 ac 1905, ond gellir gweld hyn fel penllanw'r diwylliant crefyddol. Yn 1906 roedd 20,353 o bobol yn mynychu gwasanaethau crefyddol yn gyson, ond erbyn 1968 roedd y ffigwr wedi disgyn i 10,619. Yn 1989, Ceredigion oedd un o'r ardaloedd olaf i ganiatáu gwerthu diodydd cadarn mewn tafarndai ar y Sul.

Datblygodd chwaraeon cyfoes yn yr 20fed ganrif, yn

enwedig ar ôl y Rhyfel Mawr pan oedd nifer wedi cael y profiad o gymryd rhan mewn chwaraeon tîm yn y lluoedd arfog. Sefydlwyd Cynghrair Bêl-droed Ceredigion ddiwedd yr 1920au, er bod y mwyafrif o'r timau sy'n cymryd rhan yng ngwaelod y sir a rhai, fel Llanboidy, Castell Newydd Emlyn a Bargod Rangers, yr ochr arall i'r ffin yn Sir Gâr. Mae nifer o dimau gogledd y sir yn cymryd rhan yng Nghynghrair y Canolbarth, neu Gynghrair Aberystwyth, ac mae Aberystwyth Town yn chwarae yn Uwch Gynghrair Cymru.

Sefydlwyd tîm rygbi yn Aberystwyth yn 1947, ac roedd timau rygbi yn Llanbed ac Aberteifi ers yr 1860au. Sefydlwyd Clwb Rygbi Castell Newydd Emlyn yn Adpar yn 1977, ac mae'r tîm cyntaf yn 2015 yn Adran Gyntaf y Gorllewin yng Nghynghrair SWALEC. Mae Aberystwyth ac Aberteifi yn Ail Adran y Gorllewin, a Llanbed, Aberaeron a Thregaron yn cynrychioli'r sir yn Nhrydedd Adrannau'r Gorllewin.

Fel ardal wledig arfordirol mae Ceredigion yn gyfoethog o ran bywyd gwyllt. Ceir tri math o alarch, chwe math o ŵydd ynghyd â hwyaid a mulfrain ar hyd yr arfordir a'r aberoedd. Yng ngogledd y sir mae Lloches Adar Ynyslas yn ganolfan bwysig, a cheir lloches Gors Goch ar ymylon Tregaron yn ogystal â Chanolfan y Barcud Coch. Y bwncath yw'r aderyn ysglyfaethus mwyaf cyffredin yn y sir, ond roedd ucheldir Ceredigion yn bwysig fel un o'r llefydd olaf i gynnal y barcud coch pan oedd yn brin iawn ei niferoedd, a gellir eu gweld yn aml ar hyd y sir erbyn heddiw. Mae yma gudylliaid, hebogiaid a gweilch hefyd. Gellir gweld brain coesgoch mewn mannau ar hyd yr arfordir, gan gynnwys Ynys Lochtyn ger Llangrannog. Cafodd y ciconia du a'r barcud du eu gweld am y tro cyntaf yn y sir yn 2012. Cofnodwyd 77 o nythod crëyr glas yn 2012, a gellir gweld y fulfran ar aber afon Dyfi ac afon Teifi. Mae glas y dorlan a thri math o

gnocell y coed hefyd yn byw yn y sir, ynghyd ag 13 math o wylan.

Ar arfordir Ceinewydd mae'r unig boblogaeth sefydlog o ddolffiniaid trwynbwl yng Nghymru a Lloegr, gyda mudiad y Sea Watch Foundation yn cynnal arbenigwyr yn y Cei a Rhydychen ac yn trefnu teithiau i weld yr anifeiliaid môr yn yr haf. Credir fod hyd at 200 o ddolffiniaid yn rhan o'r boblogaeth leol hon. Ceir hefyd boblogaeth bwysig o lamhidyddion ym Mae Ceredigion. Mae'r morlo llwyd yn magu yn y cilfachau creigiog ar hyd yr arfordir, ac ar adegau gallwch weld y rhain ar y traeth yng Nghwmtydu o gwmpas mis Medi. I'r de o Geinewydd ar hyd y Llwybr Arfordirol mae Craig y Deryn, ardal fridio bwysig i adar môr, gan gynnwys gwylogod, llursod, gwylanod coesddu ac adar drycin y graig.

Agorwyd Llwybr Arfordir Ceredigion yng Ngorffennaf 2008 ac mae'n ffordd arbennig o deithio'r arfordir, yn cychwyn yn Aberteifi ac yn cwpla yn Ynyslas. Er hynny, nid yw'r llwybr yn dilyn yr arfordir ar ei hyd, gan nad oes mynediad i'r darn hwnnw o gwmpas safle QinetiQ yn Aberporth. Mae'r llwybr rhwng Gwbert a Mwnt hefyd yn osgoi Parc Ffarm Arfordirol Ynys Aberteifi, menter dwristiaeth a lansiwyd gan Lyn Jenkins, ffarmwr lleol, sydd wedi bod yn brwydro gyda'r Cyngor Sir dros ei hawl i wrthod mynediad cyhoeddus i'w dir. Er nad yw'n rhan o'r llwybr cyhoeddus, mae ymweliad â'r ffarm yn cynnig cyfle arbennig i weld morloi ac adar yr arfordir, yn ogystal â *menagerie* o anifeiliaid ffarm a rhai anifeiliaid anghyffredin eraill.

Sefydlwyd pedair canolfan gelfyddydol o bwys yn y sir yn yr 20fed ganrif. Sefydlwyd Theatr Mwldan yn Aberteifi yn 1983 ar safle hen ladd-dy'r dref, ac ers 1988 mae'r ganolfan wedi dangos ffilmiau. Mae hefyd yn ganolfan gelf, ac yn cynnal dramâu ac arddangosfeydd dros y rhyngrwyd ar sgriniau digidol. Yn 2012 lansiwyd trydedd sgrin ddigidol yn y Theatr. Adeiladwyd Neuadd Fawr Canolfan y Celfyddydau yn Aberystwyth yn 1970, ac erbyn heddiw mae'n un o'r canolfannau celfyddydol mwyaf yng Nghymru. Mae'n cynnwys theatr, neuadd gyngerdd, stiwdio a sinema, a phedwar gofod i arddangos celf. Yn Aberystwyth hefyd mae cwmni theatr Arad Goch, sydd wedi arbenigo mewn cynyrchiadau i blant a phobol ifainc ers ei sefydlu yn 1989.

Ym Mhontrhydfendigaid mae Pafiliwn Bont, a gafodd ei adeiladu dan nawdd Syr David James, gŵr a fagwyd yn lleol ac a oedd wedi gwneud ei arian ym myd busnes yn Llundain. Ni welodd agoriad y Pafiliwn yn 1967, ond bu'r ganolfan yn ganolog i ddigwyddiadau diwylliannol yn nwyrain y sir hyd at 2000, pan gaewyd y lleoliad. Agorodd eto yn 2006 ar ôl buddsoddiad o £1.7 miliwn, ac yn 2013 yno y dathlwyd Gŵyl Hanner Cant Cymdeithas yr Iaith.

Sefydlwyd Theatr Felinfach yn Nyffryn Aeron yn 1972 fel canolfan ddiwylliannol i'r iaith Gymraeg, ac mae'n canolbwyntio ar ddigwyddiadau Cymraeg. Noddir y Theatr gan Ganolfan y Celfyddydau a Chyngor Sir Ceredigion, ac mae'n ganolfan bwysig i gynyrchiadau amatur yn ogystal â bod yn lleoliad ar gyfer teithiau cenedlaethol. Un o uchafbwyntiau'r flwyddyn yw'r Panto, sydd wedi'i gynnal gan wirfoddolwyr ers dyddiau cynnar y theatr, ac sy'n parhau hyd heddiw.

Bu Castell Aberteifi yn lleoliad i'r 'eisteddfod gyntaf' yn 1176 ac yn sefydliad milwrol pwysig trwy gydol ymgyrchoedd y Normaniaid yn erbyn y tywysogion brodorol. Cafodd y safle ei amddifadu gan y Seneddwyr yn ystod y Rhyfel Cartref yn yr 17eg ganrif, ac adeiladwyd tŷ Castle Green ar y safle ar ddechrau'r 19eg ganrif. Prynwyd y lle gan Barbara Wood yn 1940, ond erbyn diwedd ei hoes roedd y castell a'r tŷ wedi

dirywio'n sylweddol. Prynwyd y safle gan yr awdurdod lleol yn 2003. Erbyn heddiw buddsoddwyd £12m o arian cyhoeddus dan arweiniad Ymddiriedolaeth Cadwraeth Adeiladau Cadwgan, gyda'r nod o sefydlu canolfan dreftadaeth i adfywio'r safle a'r dref, gyda'r tŷ'n cael ei adnewyddu i greu llety safonol i ymwelwyr.

Yn Aberteifi mae label recordiau a stiwdio Fflach, a sefydlwyd gan Wyn a Richard Jones o'r grŵp Ail Symudiad yn 1981. O Aberteifi hefyd y daw Malcolm Neon, arloeswr cerddoriaeth electronig Gymreig o'r 1980au, a'r canwr David R Edwards, cyd-sylfaenydd y grŵp Datblygu gyda T Wyn Davies yn 1982. Bu Datblygu'n gyfrifol am ddarparu pum sesiwn radio i John Peel, y DJ BBC Radio One, a'u halbymau mwyaf adnabyddus yw *Wyau*, *Pyst* a *Libertino*. O Aberystwyth y daw Georgia Ruth Williams, a enillodd Wobr Cerddoriaeth Gymreig 2013 gyda'i halbym *Week of Pines*.

Ym myd celf, bu'r 20fed ganrif yn gyfnod cyffrous i artistiaid gweledol y sir. Daw Aneurin Jones yn wreiddiol o ardal y Mynydd Du, ar y ffin rhwng Brycheiniog a Sir Gâr, ond mae bellach yn byw yn Aberteifi. Enillodd brif wobr gelf yr Eisteddfod yn 1981, ac mae ei waith yn portreadu'r gymdeithas wledig a'r cymeriadau sy'n rhan o'r diwylliant amaethyddol. Yn Henllan mae'r artist Diane Mathias yn paentio tirluniau o orllewin Cymru, ac yn Nhalybont mae Ruth Jên yn creu darluniau lliwgar a chwareus o'r hen fenyw fach Gymreig.

A hithau'n wreiddiol o Bontarfynach, mae Mary Lloyd Jones yn artist sy'n cael ysbrydoliaeth o'i magwraeth wledig Gymreig, a'r iaith Gymraeg yn ddylanwad ar ei gwaith, megis casgliad 'Lliwio'r Gair'. Nid tirluniau mewn modd cynrychioliadol yw ei gwaith hi, ond yn hytrach ddelweddau abstract fel y gwelir yn y lluniau *Creithiau Cwm Rhondda*,

Llwybrau'r Hen Bobl, *Hyddgen 1* a *Fferm Wynt*. Mae ei delweddau lliwgar cyfoes yn gweu technegau amlgyfrwng i greu canfasau mawr afreolaidd. Cafodd ei hysbrydoli gan dirlun y mwyngloddiau, gan iaith Ogam, a chan ei phrofiadau'n teithio dramor i Iwerddon, yr Alban, India a Catalunya. Er na wnaeth hi gychwyn arddangos ei gwaith tan ei thridegau, mae hi'n un o artistiaid mwyaf blaengar Cymru. Dathlodd ei phen blwydd yn 80 yn 2014 ac mae'n dal i weithio yn ei stiwdio yn Aberystwyth.

Un arall o hynafgwyr celfyddydol y sir oedd Ron Davies, a anwyd yn Aberaeron yn 1921. Roedd yn gaeth i'w gadair olwyn ers 1950, pan gafodd niwed mewn damwain beic modur. Er gwaethaf ei anabledd, daeth yn ffotograffydd proffesiynol gan gyhoeddi'r cyfrolau *Llun a Chân*, *Delweddau o Gymru*, *Byd Ron* a'r casgliad o luniau *24 Awr Bron-glais: Bywyd mewn Diwrnod*, sy'n portreadu Ysbyty Bron-glais yn Aberystwyth, lle bu'n cael triniaeth. Cychwynnodd ei yrfa fel ffotograffydd rhyfel swyddogol yn y Dwyrain Pell, ac ar ôl ei ddamwain daeth yn ffotograffydd i'r wasg, gan gyfrannu i'r BBC, HTV, y *Western Mail* a'r *Cymro*. Cafodd ei dderbyn yn aelod o Orsedd y Beirdd yn 2002 a'i urddo'n OBE yn 2003. Bu farw ar Hydref y 26ain, 2013.

Bu Ceredigion hefyd yn flaengar ym maes llenyddiaeth Gymraeg gyfoes. Sefydlwyd gwasg yn Market Stores, Llandysul, yn 1892. Yn 1894 adeiladodd J D Lewis siop a thŷ newydd yn Stryd y Gwynt, ac mae siop Ffab yn dal i werthu llyfrau Cymraeg ar y safle. Cyhoeddwyd y llyfr cyntaf gan y wasg newydd, *Hanes Plwyf Llandyssul*, yn 1896. Erbyn heddiw mae Gwasg Gomer, yn ei chanolfan newydd ar gyrion y dref, yn un o brif gyhoeddwyr Cymru.

Yng ngogledd y sir mae gwasg y Lolfa, a sefydlwyd yn yr 1960au. Cyhoeddwyd y llyfr cyntaf yn enw'r Lolfa yn 1966, sef *Hyfryd Iawn* gan Eirwyn Pontshân, a sefydlwyd y wasg fel cyhoeddwr masnachol yn Nhalybont gan Robat Gruffudd yn 1967. Bu'r Lolfa hefyd yn gyfrifol am argraffu'r cylchgrawn dychanol *Lol* ers 1965, sy'n cael ei gyhoeddi'n flynyddol ar gyfer yr Eisteddfod Genedlaethol.

Agorodd y Llyfrgell Genedlaethol yn Aberystwyth yn 1909. Alun R Edwards, Llanio, oedd llyfrgellydd y sir o 1950 ac roedd ganddo ran ganolog yn sefydlu Cymdeithas Lyfrau Ceredigion yn 1954, y Cyngor Llyfrau Cymreig yn 1961 ac wrth gyflwyno faniau llyfrgell yn 1962. Daeth Cymdeithas Lyfrau Ceredigion i ben yn 2009, pan brynwyd y cwmni a'r hawliau cyhoeddi i'w llyfrau (y gyfres boblogaidd *Sali Mali* yn eu plith) gan Wasg Gomer.

Daw nifer o feirdd enwog yr 20fed ganrif o'r sir. Yng nghyffiniau pentref bychan Talgarreg cafodd Thomas Jacob Davies, 'Sarnicol', ei eni a'i fagu, ac enillodd Gadair Eisteddfod Genedlaethol y Fenni yn 1913 gyda'i awdl 'Aelwyd y Cymro'. Daeth hefyd yn ail i Hedd Wyn yn Eisteddfod Birkenhead yn 1917 gyda'i awdl dan y teitl 'Yr Arwr', a oedd yn disgrifio profiad bugail defaid o fynyddoedd Cymru yn mynd i'r cyfandir i ymladd ac yn colli ei fywyd.

Treuliodd Dewi Emrys ddeng mlynedd olaf ei oes yn Nhalgarreg, yn byw yn y Bwthyn ar draws y ffordd i Dafarn Glanyrafon. Cafodd ei eni ar Fai yr 28ain, 1881 yn Majorca House, Ceinewydd, yn fab i weinidog. Er ei fod yn bregethwr yn Finsbury Park ar y pryd, yn 1917 ymunodd â'r fyddin yn wirfoddol gan adael ei wraig a dau o feibion.

Enillodd y Goron yn Eisteddfod Genedlaethol Abertawe yn 1926, ond gwerthodd y goron i gynnal ei hun, ac roedd erbyn hyn yn *vagabond* o ryw fath. Enillodd hefyd wobr gyntaf y gystadleuaeth 'Darn o Farddoniaeth mewn tafodiaith' am ei gerdd enwog 'Pwllderi'. Bu o flaen llys barn yn 1927 am ysgrifennu sieciau na allai eu talu, ac am fethu â thalu i gynnal ei wraig a'i blant. Serch hynny, enillodd Gadair Lerpwl yn 1929 ac ysgrifennodd yr awdl 'Dafydd ap Gwilym' yn Aberystwyth a Chommins Coch. Enillodd Gadair Eisteddfod Genedlaethol Llanelli yn 1930, a chyhoeddwyd y gyfrol *Y Cwm Unig* yr un flwyddyn. Symudodd i Dalgarreg yn 1939, a byw gyda'r athro Tom Stephens am gyfnod cyn ymgartrefu yn y Bwthyn gyda'i ferch Dwynwen yn 1940.

Enillodd y Gadair eto ym Mangor yn 1943, ac yn Eisteddfod Genedlaethol Penybont ar Ogwr yn 1948 gyda'i awdl 'Yr Alltud', a chyhoeddwyd y gyfrol *Cerddi'r Bwthyn* yr un flwyddyn. Wedi iddo ennill y Gadair am y pedwerydd tro, cyflwynwyd y rheol na all bardd gystadlu ar ôl ennill prif wobr ddwywaith. Bu farw yn Aberystwyth yn 1952. Roedd yr awdur Caradog Prichard yn gyfaill iddo, a dywedodd ef 'yn y gynghanedd yr oedd yn gampus, a chredaf fod ei awdl "Dafydd ap Gwilym" ymysg goreuon y ganrif'. Roedd e'n gymeriad poblogaidd gyda'r werin bobol, ac ymysg ei linellau cofiadwy mae'r cwpled isod o 'Y Gorwel':

Hen linell bell nad yw'n bod
Hen derfyn nad yw'n darfod.

Yn Nhalgarreg hefyd mae'r Prifardd Donald Evans yn byw, yn un o dri yn unig a enillodd y Gadair a'r Goron yr un flwyddyn a hynny ddwywaith, yn Eisteddfod Wrecsam yn 1977 ac Eisteddfod Dyffryn Lliw yn 1980. Heb fod ymhell o Dalgarreg mae Blaencwrt, a fu ers dros dri deg o flynyddoedd yn gartref i'r bardd Gillian Clarke, a ddaeth yn Fardd Cenedlaethol Cymru yn 2008.

Saif Eluned Phillips o hyd fel yr unig fenyw i ennill y Goron ddwywaith, yn 1967 ac 1983. Cafodd ei geni yng

Nghenarth, ar lannau Teifi, yn 1914, ac fel ei chyfaill Dewi Emrys roedd hi hefyd yn gymeriad lliwgar. Roedd y paentiwr Augustus John a'r gantores Edith Piaf ymysg ei chyfeillion, a chafodd hi'r fraint o weld *Guernica,* murlun olew enfawr Pablo Picasso, tra oedd y paent yn dal yn wlyb. Bu'n byw yn Llundain a Pharis yn y cyfnod cyn yr Ail Ryfel Byd, a daeth yn gyfaill agos i Dewi Emrys ar ôl symud i Lundain yn 1930. Bu farw yn Ysbyty Glangwili yn 2009.

Enillodd Ceri Wyn Jones o Aberteifi y Gadair yn Eisteddfod y Bala yn 1997 ac Eisteddfod Sir Gâr yn 2014, a'r Goron yn Eisteddfod Meirion a'r Cyffiniau yn 2009, ac mae'n gweithio fel golygydd i Wasg Gomer yn Llandysul. Yn 2012 cafodd y fraint o olynu Gerallt Lloyd Owen fel meuryn *Talwrn y Beirdd.* Bu'r newyddiadurwr a sylfaenydd y cylchgrawn *Golwg* yn Llanbed, Dylan Iorwerth, yn fardd y Goron yn 2000, ac enillodd y Gadair yn 2012 a'r Fedal Ryddiaith yn Eryri yn 2005.

Un arall o'r sir i ennill y Gadair oedd y llenor T Llew Jones, yn Eisteddfod Glynebwy yn 1958 ac Eisteddfod Caernarfon yn 1959. Ganed y bardd a'r nofelydd toreithiog ym mwthyn Bwlch Melyn ym Mhentrecwrt yn 1915, a threuliodd ei yrfa fel athro a phennaeth yn ysgolion Tregroes a Choedybryn. Cyhoeddodd dros hanner cant o lyfrau, yn bennaf nofelau i blant, gan gynnwys *Barti Ddu, Dirgelwch yr Ogof, Un Noson Dywyll* a *Tân ar y Comin.* Cymerodd ran yn *Cynhaeaf y Cilie* yn 1960, y rhaglen deledu Gymraeg gyntaf i'w chofnodi ar dâp fideo gan y BBC, a gwnaeth hynny yng nghwmni Dic Jones ac aelodau o deulu'r Cilie, sef Isfoel, Alun Cilie, SB a Tydfor. Hunodd yn ei gartref ym Mhontgarreg yn 2009.

Heb fod ymhell o Gwmtydu mae'r Cilie, y ffarm honno yng nghysgod y Gaerwen a fu'n gartref i deulu o feirdd gwlad sy'n esiampl o'r werin addysgiedig. Gof oedd Jeremiah Jones, y penteulu, ond yn Hydref 1889 cafodd denantiaeth y ffarm dri chan erw ar ochrau'r clogwyn rhwng Cwmtydu a Llangrannog.

Daeth chwech o'r saith bachgen a anwyd i Jeremiah a Mary Jones yn enwog trwy Gymru fel beirdd yn yr 2ofed ganrif. Frederick Cadwaladr oedd yr hynaf o'r rhain. Gelwid John yn Tydu neu Ceredigion, David Jones yn Isfoel, Evan George yn Sioronwy, ac Alun, yr ieuengaf, oedd Alun Cilie. Simon Bartholomew, neu SB, oedd yr unig un i ennill prif wobr yn yr Eisteddfod, sef Cadair a Choron, ond cyhoeddwyd nifer o lyfrau barddoniaeth, pamffledi ac ysgrifau gan y brodyr eraill. Ymysg eu barddoniaeth mae *Cerddi Isfoel* a *Hen Ŷd y Wlad* gan Isfoel, a *Cerddi Alun Cilie* a *Cerddi Pentalar* gan gyw y teulu.

Ganwyd Isfoel yn nhŷ'r gof ym Mlaencelyn yn 1881, ac roedd yn 8 oed pan symudodd y teulu i'r Cilie. Gadawodd yr ysgol ym Mhontgarreg yn 10 oed oherwydd afiechyd ei dad, a chofiai'r 'Welsh Not' yn cael ei ddefnyddio yno. Wedi hynny ni chafodd ddim addysg ffurfiol bellach, a bu'n ffarmwr a gof yn bennaf. Roedd yn enwog am ei ddyfeisgarwch peirianyddol, ac ef oedd yn gyfrifol am brynu a gwerthu anifeiliaid. Roedd yn ddeintydd i'r teulu a'r gweision, gan ddefnyddio'i offer gof. Ef hefyd oedd barbwr y teulu, ac ar ben hyn oll roedd yn ddarllenwr brwd, gan ddysgu darnau o awdlau a phryddestau ar ei gof.

Ymysg allbwn barddonol Bois y Cilie mae'r soned 'Sgrap' gan Alun Cilie, sy'n olrhain hanes sipsi o'r enw Mosi Warrell yn casglu hen declynnau amaethyddol y ffarm. Er nad enillodd Alun un o wobrau mawr yr Eisteddfod, roedd ei waith yn boblogaidd ymysg darllenwyr, a gwerthwyd rhyw 900 copi o'r llyfr *Cerddi Alun Cilie* yn uniongyrchol i'r cyhoedd gan Alun a'i gyfeillion, ac enillodd y llyfr wobr yr

Academi Gymreig am Lyfr y Flwyddyn yn 1964. Dyma ddiwedd y soned enwog;

Ond er i'r bois gael hwyl yn eu crynhoi
Wrth gwt y tractor mor ddi-ots o chwim,
Ac i minnau daro'r fargen, heb din-droi
Na hocan, am y nesaf peth i ddim-
Aeth rhywbeth mwy na sgrap drwy iet y clos
Ar lori Mosi Warrell am y rhos.

Cafodd Bois y Cilie effaith bell-gyrhaeddol ar farddoniaeth Gymraeg yr 2ofed ganrif, ac esiampl arbennig o hyn yw bod y Prifardd Dic Jones, un o gewri llenyddol y ganrif, wedi datgan mai nhw a'i ysgogodd ef i gychwyn barddoni, yn enwedig Alun Cilie. Cafodd Dic Jones ei eni yn Nhre'r Ddôl yng ngogledd Ceredigion, ond treuliodd ran helaeth o'i oes ar ffarm yr Hendre ym Mlaenannerch, yn amaethwr ac yn fardd gwlad. Enillodd Gadair yr Eisteddfod Genedlaethol am ei awdl 'Y Cynhaeaf' yn Eisteddfod Aberafan yn 1966. Daeth yn adnabyddus pan enillodd Gadair Eisteddfod yr Urdd bum gwaith yn yr 1950au, ac fe'i hetholwyd yn Archdderwydd Cymru yn 2007. Bu farw Dic yr Hendre yn Awst 2009.

Wrth i fileniwm newydd fynd yn ei flaen ar y tir rhwng Dyfi a Theifi, mae'r gymdeithas, yr iaith a'r diwylliant, y dirwedd ac anifeiliaid y sir yn dal i esblygu. Cafwyd newidiadau enbyd o fewn y gymdeithas honno, yn enwedig ers cychwyn yr 2ofed ganrif, ond mae yna ryw gysylltiad o hyd â'r hadau a fu'n blaguro yma ers cyn Oes Crist. Mae hen wlad Ceredigion yn Geredigion eto.

Mynwent Hen Gapel, Aberporth, 2013.
Hen Gapel cemetery, Aberporth, 2013.

John H Lewis, Roderick Lewis, Jonathan Lewis, Gwasg Gomer, Llandysul, 2014.
John Lewis a'i feibion y tu allan i Ganolfan Gwasg Gomer ar gopa Cwm Meudwy rhwng Llandysul a Horeb.
Jonathan yw Rheolwr Gyfarwyddwr y cwmni a Rod yw'r Cyfarwyddwr Technegol. Y ddau frawd yw
pedwaredd genhedlaeth y teulu i weithio gyda'r cwmni ers ei sefydlu gan John David Lewis yn 1892.

John H Lewis, Roderick Lewis, Jonathan Lewis, Gomer Press, Llandysul, 2014.
John Lewis and his sons outside Gomer Press at the top of Cwm Meudwy between Llandysul and Horeb.
Jonathan is the company's Managing Director and Rod is the Technical Manager. The two brothers are the
family's fourth generation to work at the company since it was founded by John David Lewis in 1892.

Margaret Evans ac Anita Evans, Siop y Gomerian, Llandysul, 2013.
Bu'r siop hon ar Stryd y Gwynt ers 1894. Bu Margaret yn gweithio yno am 43 mlynedd cyn ymddeol yn 2014. Newidiodd enw'r siop i Ffab, dan berchennog newydd, yn 2014. Mae Anita yno o hyd.

Margaret Evans and Anita Evans, Gomerian Shop, Llandysul, 2013.
The shop has stood on Wind Street since 1894. Margaret worked there for 43 years before retiring in 2014. The shop's name changed to Ffab, under new ownership, in 2014. Anita is still there.

Alpacas, Capel Dewi, 2013.
Alpacas, Capel Dewi, 2013.

Buwch yr Ucheldir, Cellan, 2012.
Highland Cow, Cellan, 2012.

Huw Rees, Ffarmwr, Rhydowen, 2013.
Huw Rees, Farmer, Rhydowen, 2013.

Ceinewydd, 2014.
New Quay, 2014.

Ceinewydd, 2014.
Gwirfoddolwyr yn ymarfer achub morfilod ar draeth Ceinewydd.

New Quay, 2014.
Volunteers practise saving whales on New Quay beach.

Katrin Lohrengel, Canolfan Bywyd Gwyllt Cymru, 2013.
Almaenes yw Katrin ac mae'n gweithio fel Swyddog Datblygu Cymru gyda'r Sea Watch Foundation yng Ngheinewydd. Roedd hi yn y Ganolfan Bywyd Gwyllt yn darlithio ar cetacea gorllewin Cymru.

Katrin Lohrengel, Welsh Wildlife Centre, 2013.
Katrin, who is German, works as a Welsh Development Officer with the Sea Watch Foundation in New Quay. She was giving a lecture on west Wales's cetacea at the Welsh Wildlife Centre.

Ceri Wyn Jones, Gŵyl Lyfrau PENfro, Rhosygilwen, 2014.
Y Prifardd yn holi Trevor Fishlock am ei lyfr *A Gift of Sunlight*.

Ceri Wyn Jones, PENfro Book Festival, Rhosygilwen, 2014.
The poet interviews Trevor Fishlock about his book A Gift of Sunlight.

Amanda a Ken Edwards, Ffarm Organig Nantgwynfaen, Croeslan, 2013.
Mae'r cwpwl yn gwerthu cynnyrch organig y ffarm a chynnyrch organig lleol o'u siop ar y safle.

Amanda and Ken Edwards, Nantgwynfaen Organic Farm, Croeslan, 2013.
The couple sell the farm's organic produce and local organic produce from their shop on the farm.

Parc Ffarm Arfordirol Ynys Aberteifi, Gwbert, 2012.
Lyn Jenkins yw perchennog y Parc, sy'n gartref i amrywiaeth o anifeiliaid y tir ac yn lle da i weld morloi.

Cardigan Island Coastal Farm Park, Gwbert, 2012.
Lyn Jenkins owns the Park, which is home to a variety of land animals and is a great place to see seals.

Ffresgo'r Swper Olaf, Henllan, 2005.
Crëwyd y ffresgo gan Mario Ferlito yn 1944. Roedd yn un o'r carcharorion Eidalaidd yng Ngwersyll Carcharorion Rhyfel 'POW Camp 70', Pont Henllan yn ystod yr Ail Ryfel Byd. Wedi'r rhyfel dychwelodd adref i Ornavasso yng ngogledd yr Eidal.

The Last Supper Fresco, Henllan, 2005.
The fresco was created by Mario Ferlito in 1944. He was one of the Italian prisoners at POW Camp 70 at Henllan Bridge during the Second World War. After the war he went home to Ornavasso in northern Italy.

Gŵyl Nôl a Mla'n, Llangrannog, 2013.
Gŵyl Nôl a Mla'n festival, Llangrannog, 2013.

Mynediad am Ddim, Gŵyl Nôl a Mla'n, Llangrannog, 2013.
Popular folk/pop group Mynediad am Ddim, Gŵyl Nôl a Mla'n festival, Llangrannog, 2013.

Gillian Clarke, Bardd, Talgarreg, 2008.
Y tu allan i'w chartref yn y bryniau
uwchben Talgarreg.

Gillian Clarke, Poet, Talgarreg, 2008.
Outside her home in the hills above
Talgarreg.

Hirallt ger Llangrannog, 2010.
Llwybr yr arfordir yn ymestyn ar hyd clogwyni Hirallt rhwng Llangrannog a Chwmtydu.

Hirallt near Llangrannog, 2010.
The coastal path stretches across the Hirallt cliffs between Llangrannog and Cwmtydu.

Traeth y Mwnt, 2012.
Mwnt beach, 2012.

Panto Felinfach, Theatr Felinfach, 2012.
Pan oeddwn yn grwt, byddwn wrth fy modd yn mynd i weld y Panto yn Felinfach. Fy Wncwl Jaci sy'n chwarae rhan Ben Êc, sydd ar y dde yn y llun. Bu'n cymryd rhan yn y Panto ers dechrau'r 1970au, cyn i fi gael fy ngeni.

Felinfach panto, Theatr Felinfach theatre, 2012.
As a boy, I loved going to see the Welsh-language panto at Felinfach. My Uncle Jaci plays the part of Ben Êc, on the right in the picture. He has been taking part in the panto since the early 1970s, before I was born.

Hefin Evans, Tafarn Glanyrafon, Talgarreg, 2012.
Tafarn traddodiadol gyda chasgliad sylweddol o jygiau dŵr yn hongian o'r to. Cyrchfan nifer o gymeriadau gwledig lleol.

Hefin Evans, The Glanyrafon Arms, Talgarreg, 2012.
A traditional pub, with a substantial collection of water jugs hanging from the roof. A watering hole for local country characters.

Huw Thomas, Ffarmwr, Tregroes, 2013.
Cyfarwyddwr cwmni cydweithredol Llaeth Cymreig Cyf. ac aelod blaengar o'r gymdeithas leol yn Nhregroes.

Huw Thomas, Farmer, Tregroes, 2013.
Director of co-operative company Llaeth Cymreig Cyf. (Welsh Milk) and a leading member of the local society in Tregroes.

John 'Jaci' Evans, Ffarmwr, Capel Dewi, 2010.
Bu Jaci yn ffarmio ar hyd ei fywyd, ac mae'n un o gyfarwyddwyr cwmni cydweithredol Llaeth Cymreig Cyf. Mae hefyd yn wncwl i fi.

John 'Jaci' Evans, Farmer, Capel Dewi, 2010.
Jaci has farmed the land throughout his life, and he is one of Welsh Milk's directors. He is also my uncle.

Siop y Bont, Rhydlewis, 2011.
Bridge Stores, Rhydlewis, 2011.

Ron Davies, Ffotograffydd, Aberaeron, 2011.
Gŵr hynod o ddiddorol. Roedd yn gaeth i'w gadair olwyn ers cael damwain beic modur yn 1950, ond daeth yn un o brif ffotograffwyr Cymru'r 2ofed ganrif. Roedd yn cyfrannu lluniau i bapurau newydd a'r cyfryngau, a hefyd yn dilyn ei lwybr creadigol ei hunan, fel y gwelir yn ei lyfr *Llun a Chân* (1983). Bu farw ym mis Hydref 2013 yn 81 oed.

Ron Davies, Photographer, Aberaeron, 2011.
A fascinating man. Wheelchair-bound since suffering a motor bike accident in 1950, he became one of Wales's leading photographers of the 20th century. He supplied photographs to newspapers and the media and also followed his own creative path, as is shown in his book Llun a Chân (Picture and Song) (*1983*). He died in October 2013 at the age of 81.

Aberaeron, 2014.
Diwrnod braf o haf a'r cei yn orlawn ger gwesty'r Harbourmaster.

Aberaeron, 2014.
A sunny summer's day and the quay by the Harbourmaster hotel is awash with people.

Ynyslas, 2009.
Ynyslas, 2009.

Llyfryddiaeth

Aber-porth Chronicle, John Davies, cyhoeddwyd gan yr awdur, 2008

Aberystwyth to Carmarthen including Aberayron & Newcastle Emlyn branches, Vic Mitchell a Keith Smith, Middleton Press, 2011

The Agricultural Community in South-West Wales at the turn of the Twentieth Century, David Jenkins, University of Wales Press, 1971

Bro a Bywyd T Llew Jones, gol. Jon Meirion Jones, Cyhoeddiadau Barddas, 2010

Bro Dafydd ap Gwilym, David Jenkins, Cymdeithas Lyfrau Ceredigion, 1992

Brut y Tywysogyon or The Chronicle of the Princes: Red Book of Hergest Version, Thomas Jones, University of Wales Press, 1955

The Buildings of Wales: Carmarthenshire and Ceredigion, Thomas Lloyd, Julian Orbach a Robert Scourfield, Yale University Press, ailargraffiad gyda chywiriadau 2012

Cardiganshire: A Concise History, Mike Benbough-Jackson, University of Wales Press, 2007

Cardiganshire and the Cardi c.1760–c.2000: Locating a Place and its People, Mike Benbough-Jackson, University of Wales Press, 2011

Castles of the Welsh Princes, Paul R Davis, Y Lolfa, ailargraffiad 2011

Cerddi Ceredigion: Cyfres Cerddi Fan Hyn, gol. Lyn Ebenezer, Gwasg Gomer, 2003

Ceredigion: Atlas Hanesyddol, W J Jenkins, Cymdeithas Lyfrau Ceredigion, 1955

Ceredigion: Interpreting an Ancient County, J Geraint Jenkins, Gwasg Carreg Gwalch, 2005

Ceredigion: Its Natural History, David B James, Published by the author at Dolhuan, Llandre, Bowstreet (sic.), 2001

Ceredigion Shipwrecks, William Troughton, Ystwyth Press, 2006

Ceredigion: A Wealth of History, Gerald Morgan, Gomer, 2005

Creu Argraff: Atgofion Teulu Gwasg Gomer, John Lewis, Gwasg Gomer, 2012

Delweddau o'r Ymylon: Bywyd a Gwaith Mary Lloyd Jones, Ceridwen Lloyd-Morgan, Y Lolfa, 2002

Dewi Emrys, Eluned Phillips, Gwasg Gomer, 1971

Elizabethan Wales, G Dyfnallt Owen, University of Wales Press, 1964

The Francis Jones Historic Cardiganshire Homes and their Families, gol. Caroline Charles-Jones, Brawdy Books, 2004

'Fyl'na Weden I': Blas ar Dafodiaith Canol Ceredigion, Huw Evans a Marian Davies, Gwasg Carreg Gwalch, 2000

The Gateway to Wales: A History of Cardigan, W J Lewis, Adran Gwasanaethau Diwylliannol Cyngor Sir Dyfed, 1990

Hanes Cymru, John Davies, Penguin Books, 1992

Hanes Cymru, a Chenedl y Cymry, O'r Cynoesoedd Hyd at Farwolaeth Llewelyn ap Gruffydd, Y Parch. Thomas Price (Carnhuanawc), Thomas Williams, 1842

Hanes Cymru yn y Cyfnod Modern Cynnar 1530–1760, Geraint H Jenkins, Gwasg Prifysgol Cymru, 1983

Hanes Llanwenog: Y Plwyf a'i Bobl Gydag Atodiad, 1939–2000, D R a Z S Cledlyn Davies, Bifan P Morgan, Cymdeithas Lyfrau Ceredigion, 2001

Hanes Plwyf Llandyssul, Parch. W J Davies, Gwasg Gomer, 1896 – argraffiad 1992

Hanes Talgarreg, E Lloyd Jones, Cymdeithas Rhieni a'r Staff Ysgol Gynradd Talgarreg, 2003

Hen Ffordd Gymreig o Fyw / A Welsh Way of Life: Ffotograffau John Thomas, Iwan Meical Jones, Y Lolfa, 2008

A History of Modern Wales, David Williams, John Murray Publishers Ltd, 1950 – ailargraffiad 1969

The Inshore Fishermen of Wales, J Geraint Jenkins, ail arg., Amberley Publishing, 2009

'The Journey Through Wales' and 'The Description of Wales', Gerald of Wales, gol. Lewis Thorpe, Penguin Books, 1978 – ailargraffiad 2004

Llunio Cymru, John Davies, The History Press, 2009

Llwybr Arfordir Ceredigion: O'r Teifi i'r Dyfi, Gerald Morgan, Cyngor Sir Ceredigion, 2008 – ailargraffiad 2010

Llyfr Adar Iolo Williams – Cymru ac Ewrop, addasiad o gyfrol Peter Hayman a Rob Hume, Gwasg Carreg Gwalch, trydydd argraffiad 2007

Medieval Wales, A D Carr, Macmillan Press Ltd, 1995

My Failings and Imperfections: The Diary of Rees Thomas of Dôl-llan, 1860–1862, gol. Steve Dube, Cymdeithas Hanes Ceredigion/ Cymdeithas Hynafiaethau Sir Gaerfyrddin, 2011

Mynydd Bach – Ei Hanes / Its History, gol. Eirian Jones, Cymdeithas Hanes Blaenpennal, 2013

O Dregaron i Bungaroo, T Llew Jones, Gwasg Gomer, 1980

Peterwell: The History of a Mansion and its Infamous Squire, Bethan Phillips, Cymdeithas Lyfrau Ceredigion Gyf., 1983 – ail argraffiad 1997

Roads and Trackways of Wales, Richard Colyer, Moorland Publishing, 1984

Rhestr o Enwau Lleoedd / A Gazetteer of Welsh Place Names, gol. Elwyn Davies, Gwasg Prifysgol Cymru, 1975

Rhwng Dau Fyd: Y Swagman o Geredigion, Bethan Phillips, Cymdeithas Lyfrau Ceredigion, 1998

The Story of Ceredigion (400–1277), John Edward Lloyd, University of Wales Press Board, 1937

Struggle for Survival in the Cardiganshire Hills: Story of the Settlement of the Mountains of Llanfair and Llanddewi, Alan & Sally Leech, Publisher Alan Leech, 2009

Teulu'r Cilie, Jon Meirion Jones, Cyhoeddiadau Barddas, 1999

"Those were the days": A History of Cardigan, the Locality and its People – Volume 2, Cardigan & Tivy-side Advertiser, 1992

Tom Mathias: Ffotograffydd Bro – Folk Life Photographer, John Williams-Davies, Gwasg Gomer / Amgueddfa Genedlaethol Cymru, 1995

Trysorau Cudd: Darganfod Treftadaeth Cymru, gol. Peter Wakelin a Ralph A Griffiths, Comisiwn Brenhinol Henebion Cymru, 2008

Twenty-one Welsh Princes, Roger Turvey, Gwasg Carreg Gwalch, 2010

Wales: A Study in Geography and History, E G Bowen, University of Wales Press Board, 1941

Wales Through The Ages: Volume 1, gol. A J Roderick,

Christopher Davies (Publishers) Ltd, 1959

Wales Through The Ages: Volume 2, gol. A J Roderick, Christopher Davies (Publishers) Ltd, 1960

Welsh Ponies and Cobs: Ceredigion Champions, Dr Wynne Davies, Gwasg Gomer, 2010

Welsh Ships and Sailing Men, J Geraint Jenkins, Gwasg Carreg Gwalch, 2006

The Welsh Wars of Independence c.410–c.1415, David Moore, Tempus History of Wales, 2005

The Welsh Woollen Industry, J Geraint Jenkins, National Museum of Wales, Welsh Folk Museum, 1969

150 Famous Welsh Americans, W Arvon Roberts, Llygad Gwalch, 2008

Erthyglau, traethodau ac yn y blaen

'Ceredigion and the Old Faith', Very Reverend Canon James Cunnane, *Ceredigion: Journal of the Ceredigion Antiquarian Society*, Vol. XII, No. 2, 1994

Ceredigion Bird Report 2012', Wildlife Trust of South and West Wales, 2013

'Y Fflam Fyw: Stori Gwilym Marles a Brwydr Rhyddid Barn 1868', D Jacob Davies, Gwasg Gomer, 1968

'Roman Fort Environs: Geophysical Survey at Pen Llwyn Roman Fort', David Hopewell, Ymddiriedolaeth Archaeolegol Gwynedd, 2008

'Whales Dolphins Porpoises in UK Waters', Sea Watch Foundation, Oxford